池上彰
Ikegami Akira

一気にわかる！池上彰の世界情勢2023

世界に広がるウクライナ戦争の影響編

毎日新聞出版

はじめに

ロシアによるウクライナへの軍事侵攻からまもなく1年。大変な犠牲（ぎせい）が出ていますが、停戦の見通しはたっていません。

一方、5月には広島でサミット開催。世界の首脳たちは、何を話し合うのでしょうか。２０２２年もいろいろなことがありました。2月にロシアがウクライナに軍事侵攻したのには本当に驚きました。まさか21世紀にこんなあからさまな戦争が起きるとは。でも、実はロシアのプーチン大統領も驚いているかも知れません。ウクライナに攻め込んだら、ウクライナは簡単に降伏するだろうと思っていたようだからです。戦争は短期間で終わると思っていたので、ロシア軍は当初、食料や燃料を3日分程度しか持って行かなかったと見られています。

しかし、実際にはウクライナは必死になって抵抗。大きな犠牲を出していますが、犠牲が大きいことで言えば、ロシアの方がもっと大きく、あわてて新たに兵士を集めることになり、国内で混乱が広がりました。

悲惨な戦争の様子を見ていると、「早く停戦になってほしい」と思うのですが、なかなかそうはなりません。ウクライナにすれば、いま停戦すれば、東部と南部をロシア軍に占領されたままになります。これでは「敗北を認めたも同然だ」と考えてしまうからです。

一方、ロシアも、ここで停戦になると、「新たにロシア領になった」と宣言した部分を完全には占領していません。これでは「軍事行動がうまくいっていない」と認めたことになり、プーチン大統領の責任問題になってしまうからです。

どうすれば、双方の顔を立てながら戦争をやめさせることができるのか、世界は考えなければなりません。

参議院議員選挙中の7月に安倍晋三元首相が銃撃されて死亡した事件もショックでした。海外にくらべれば、ずっと治安のいい日本と言われてきましたが、それが油断を生んだかもしれません。これ以降、重要人物の警備のあり方が見直されました。今年5月には広島でG7サミットが開かれ、多くの外国の首脳が来日します。会議が無事に終わるように警備を強化しなければなりません。

と同時に、被爆地ヒロシマで開かれる会議ですから、「二度と核兵器が使われないようにするにはどうしたらいいか」を話し合うことも予定されています。会議には核兵器を持っているアメリカ、イギリス、フランスの首脳もやって来ます。世界の首脳たちには、ぜひ平和記念資料館を見て、核兵器の恐ろしさを再認識してほしいと思います。

2023年は9月1日に関東大震災から100年を迎えます。死者・行方不明者合わせて10万5000人という大きな被害を出しました。現在の日本も、「南海トラフ巨大地震」や「首都直下地震」がいつ起きてもおかしくない状態が続いています。

日本はその後も阪神・淡路大震災や東日本大震災に見舞われてきました。あらためて過去の震災がどんなものだったかを学び、二度と大きな被害を出さない対策をとる必要があります。

池上 彰

目次

はじめに …… 3

第1部 広がるウクライナ戦争の影響・2023年の展望編 …… 11

第2部 国際情勢・基本おさらい編 …… 77

第1章 ロシア・ウクライナ問題 …… 79

《年表》ロシア・ウクライナの主なできごと

《地図》ウクライナ周辺図と難民の数

《地図》ウクライナ地図

ウクライナとはどんな国ですか?

ロシアに対して、国連は無力なのでしょうか?

戦争をとめる「コスト」はどれくらいかかるのでしょうか?

▼NATOとは?

▼COPとは？
▼ミハイル・ゴルバチョフ氏とは？……105

第2章　アメリカと中国

《年表》アメリカに関連する主なできごと
《年表》ヨーロッパに関連する主なできごと
《地図》アメリカ中間選挙　上院の結果
アメリカで中間選挙が行われました。トランプ氏の影響力は依然残っているのでしょうか？
アメリカ中間選挙、勝ったのはどちらでしょうか？
▼中絶に関する連邦最高裁判決とは？
▼アメリカ連邦議会議事堂襲撃事件とは？
▼スナク・イギリス新首相はどんな人？
▼韓国の新大統領は？
▼イタリアの新首相は？

▼ブラジルの新大統領は？
▼イスラエルの新首相は？
日中国交正常化から50年が経ちました。二国の未来は明るいのでしょうか？
中国式の民主主義とは何ですか？
習近平主席の「一帯一路」構想とは何ですか？
▼中国共産党とは？
▼上海協力機構とは？
第3章　日本……145
《年表》アジアに関する主なできごと
《年表》日本国内の主なできごと
昨年参議院議員選挙が行われましたが、参議院の意義とは何ですか？
宗教法人とは何ですか？
「円安」とはどういうことですか？

沖縄が日本に復帰して50年が経ちました。沖縄の状況は変わったのでしょうか？
日米地位協定とは何ですか？
▼G７サミットとは？
▼ＩＰＥＦとは？
▼クアッドとは？
▼ＲＣＥＰとは？
▼質問権とは？

第3部　各国指導者・資料編

日本・中国・アメリカ略年表
自民党の派閥
アメリカの歴代大統領一覧
日本の歴代首相一覧
中国の歴代指導者一覧
２０２３年世界のスケジュール
……179

●装丁・本文レイアウト＝常松靖史［TUNE］
●カバー写真＝佐々木順一、小川昌宏
●組版＝キャップス

第1部

広がるウクライナ戦争の影響・2023年の展望編

［聞き手：森忠彦・毎日小学生新聞元編集長］

想定外の2022年

――2022年には、1年前には考えられなかったことがいくつも起こりました。

池上 本当にそうですね。国内、海外ともに大波乱でした。いつも「想定外」という言葉は使わないようにしたいと思っていますが、予想もしていなかったことが次々に起こりました。海外ではロシアによるウクライナ侵攻がありました。日本国内では、安倍晋三元首相が銃撃され、亡くなるという事件が起こりました。その後、政治家と世界平和統一家庭連合（旧統一教会）の関係が明らかになりました。2022年は、ほぼこれにつきると思います。この大きな二つの事件のせいで、それまで一番大きな問題だった新型コロナウイルス感染症の問題がかすんでしまうくらいでした。

ロシアによるウクライナ侵攻

――それでは、まず海外から見ていきたいと思います。ロシアがウクライナに侵攻したのは、２０２２年2月24日のことでした。

池上　そもそもロシアがウクライナ国境に十数万人の軍隊を集めているということが伝わったのは、２０２１年のことでした。それでもロシアや東欧の専門家たちは、直前まで、まさかロシアが攻めていくことはないだろうと考えていました。それだけ、戦争を始めることは合理的ではないと思われていたんです。それが実際に国境を越えて侵攻してしまった。これは本当にショッキングな出来事でした。

――戦争が起きたことにくわえて、戦闘が短期間で終わるという当初の読みも大きくはずれました。ロシアもウクライナも、戦争が長期化するとは考えていなかったのでしょ

ロシアの攻撃によって破壊された住宅＝ウクライナ・チェルニヒウにて

うか。

池上　戦争というのは、始めるのは簡単だけれど、終えるのはとても難しいものなんです。

これまでに様々な戦争がありましたが、みな最初は短期間で決着すると思っているんですよね。今回のことで言えば、ロシアは、ゼレンスキー大統領を殺害すれば、ウクライナは簡単に降伏して、一般のウクライナ国民はロシアを歓迎するのではないかと思いこんでいたふしがあります。もちろん実際はそんなことはありませんでした。

同様のことは、たとえば太平洋戦争を見れば明らかです。日本は真珠湾でアメリカ軍を一気に叩（たた）けば、アメリカ軍は戦う意欲をなくして、戦争は簡単に終わるだろうと思っていました。しかし予想は大きくはずれて、逆にアメリカを怒らせ、戦争は続き、日本は甚大(じんだい)な被害を受けました。１９５０年から始まった朝鮮戦争も、北朝鮮軍があっという間にソウルを占領し、それで終わるだろうと思っていましたが、アメリカ軍が介入して延々と続きました。

１９７９年に旧ソ連がアフガニスタンに侵攻したときも同じです。ソ連の言うことを聞く政権であれば簡単に終わらせることができると思っていたところ、そこから戦いは泥沼化していきました。みな短期決戦で何とかなるだろうと思うのですが、なかなかそうはならない。今回も同じような結果になったということですね。

――結局、この一世紀の間にあちこちで起こった出来事と同じことを繰り返しているのですね。戦争については、人類は何ら変わっていないというか、進歩していません。

池上　その通りですね。考えてみれば、第二次世界大戦が勃発した直後の１９３９年に、旧ソ連はフィンランドに攻め込んでいます（「冬戦争」）。そして、国境のフィンランド側にソ連寄りの国家をでっちあげた。それで簡単に終わると思ったら、フィンランドが頑強に抵抗して、うまくいかなかったわけです。人間は本当に進歩していないということだと思います。

――冷戦が終わり、アメリカとロシアの直接対決はなくなりました。そのことからも、国家対国家の戦争はもうないのではないか、というのがこの30年間くらいの常識だと思っていました。しかし、ここにきて戦争が起こるというのはどういうことでしょうか。冷戦は終わっていなかったということでしょうか。

ウクライナ・ゼレンスキー大統領

池上　冷戦はもちろん終わったと思います。ただやはり、東西冷戦のときには、いつ第三次世界大戦に発展するかわからないという緊張感が双方にありました。だから、朝鮮戦争やベトナム戦争など、ある地域の戦争はありましたが、世界的な全面戦争にならないようにするという抑制（よくせい）があったのだろうと思います。それが東西冷戦が終わって、その抑制がなくなってしまった。そのため、イラクがクウェートを侵略して湾岸危機から湾岸戦争に発展したり、ユーゴスラビアでは内戦が起こって国内がバラバラになったりしました。

ユーゴスラビアという国は社会主義圏でしたが、ソ連の言うことを聞かなかったので、いつ侵略を受けるかもしれないという危機意識からまとまっていたんです。それが、ソ連の勢いがなくなったとたん、それぞれの民族意識が一気に出てきて、バラバラになってしまった。とても皮肉なことですが、東西冷戦とはある意味で戦争の抑止力（よくしりょく）になっていたのだと思います。

今回はその「たが」がはずれてしまったということだと思うんですね。ヨーロッパにおいては、これまでＮＡＴＯ軍とワルシャワ条約機構（ＷＴＯ）軍がにらみ合っていたので、もし何かあれば、ここが全面戦争の舞台になってしまうわけです。ところが、ワルシャワ条約機構がなくなってしまい、ＮＡＴＯがどんどん東に勢力を広げてきた。それに対してロシアは大変な危機意識を持った。そして、ついにその我慢の限界を超えてしまったということだと思います。

――なるほど、今回のロシアのウクライナ侵攻はそのように考えると非常にわかりやすいですね。「たが」がはずれたと言えば、これまで封印されてきた核兵器が、今回また改めて浮き彫りになってきています。核兵器禁止条約の発効（2021年）や、NPT（核兵器不拡散条約）の再検討会議など、国際会議も重なりました。

池上　そうですね。まさか核兵器を脅（おど）しに使うだなんて、いつの時代かと思いますよね。しかし、これも非常に冷静に見れば、ロシアは数年前に核戦略を新たに構築しているわけです（「軍事ドクトリン（基本原則）」）。それによれば、ロシアが国家存亡の危機に陥った時は、敵が通常兵器で攻撃してきたとしても、ロシアとしては核兵器を使うことがあるのだというのです。国家存亡の危機の時には核兵器という大原則があるんです。

だから、プーチン大統領は核兵器とは明言しませんでしたが、「非常に強い兵器を持っている」と言うのは、ＮＡＴＯに対する抑止を考えたんです。つまり、ロシアはウクライナに対して核兵器を使うという意味ではなくて、もしこれをきっかけにＮＡＴＯ軍がロシア本体に攻め込むようなことがあれば、核兵器を使う可能性があるんだぞ、という脅しだったんですね。

ハイマース（高機動ロケット砲システム）

結果として、この脅しは功を奏しました。たとえば、アメリカがウクライナに対して武器支援をする際、榴弾砲などの大砲、ハイマース（高機動ロケット砲システム）のような長距離ミサイル発射装置など、ウクライナを守るための武器はいろいろと送っていますが、ロシア本土まで届くようなものではありません。ロシアを攻撃できるような、さらに飛距離の長いミサイルやジェット戦闘機は送らないんです。ウクライナは、アメリカからとにかくロシア本国を攻撃することは避けるように言われています。ある種、抑制がきいているというとおかしいですが、ロシアに対する明らかな攻撃はしていないわけですよね。

――ある一線を越えないということですね。

池上　はい。つまり、プーチン大統領にしてみれば、最初の核の脅しが効果的に働いているると受けとめているのだと思います。

――ただ、アメリカにとってみれば、今の時代にまさか核兵器による脅しがあるとは想定していなかったのではないでしょうか。

池上　そうですね。ただ、ロシアの核戦略の研究者にしてみれば、想定内の発言だったと思います。

――アメリカをはじめ西側諸国は、ロシアの思考をきちんと理解できていなかったということでしょうか。

池上　それはあると思います。ＮＡＴＯやアメリカは、どうせロシアが核兵器を使うなんてことはないというような、どこかばかにしたような意識を持っていて、誇り高いロシアは我慢がならなかったのだろうと思いますね。

――なるほど。この戦争は、決してプーチン大統領が感情的に起こしたことではなく、かなり以前からこういう考えを持っていたということなんですね。

新型コロナが遠因？

池上　そうですね。くわえてこの2年間あまり、新型コロナ禍（か）の中で、プーチン大統領は実に孤独な時間を過ごしたと言われているんです。

ロシアのワクチン「スプートニクＶ」は、武漢で最初に発見された新型コロナウイル

フランス・マクロン大統領と会談するプーチン大統領

スには、そこそこ効いたんですね。でもウイルスが変異してしまうと、ファイザーやモデルナのワクチンと違って、全く効かないんです。プーチン大統領は、とにかく感染することを恐れて、なるべく人と会わないようにしました。誰かと会う時には必ずPCR検査をさせて、陰性であることを確認しないと部屋に入れなかったそうです。結果的に非常に孤独な2年間を過ごしたんですね。

その中で、彼はロシアの歴史についての本に読みふけったといいます。17〜18世紀のピョートル大帝やエカチェリーナ2世ら、ロシア帝国がどんどん勢力を拡大していった頃のロシア皇帝の話です。

そもそもウクライナというのはキエフ公国（「キ

エフ・ルーシ」）から始まっている。ロシアとウクライナ、ベラルーシはルーツが同じであり、ひとつだった。そして、キエフ公国滅亡後は、ウクライナ南部の黒海沿岸は「ノヴォロシア」つまり、「新しいロシア」と呼ばれる地域、現在のウクライナのドニプロ（ドニエプル）川両岸は「小ロシア」と呼ばれた。つまり、それらの地域は元々ロシアだった、と言いたいんです。

それが旧ソ連が崩壊した後、ウクライナは独立国だなどと言っている。許せない、そういう意識がこの2年間で醸成（じょうせい）されてきたということなんです。

――となると、間接的ではありますが、新型コロナ感染症がプーチン大統領の思考に影響を及ぼしているということですね。

池上　そう思います。

難民問題

――もし新型コロナウイルス感染症が流行しなければ、プーチン大統領はここまでの行動に出なかったかもしれないということがわかりました。しかし現実には、戦争によって大量の難民が出ています。

池上　そうですね。ポーランドをはじめ、周辺の国々がウクライナからの難民を大勢受け入れました。

しかしその一方で、皮肉なことに人種差別問題も露呈（ろてい）しました。東欧の国々は、ウクライナからの難民は受け入れましたが、過去にシリア難民やアフガニスタン難民は受け入れていません。同じ白人だから、あるいはキリスト教徒だから受け入れるけれど、イスラム教徒は受け入れない。人道的な支援をしつつも、差別の意識はなくなっていないということです。

国境を越え、ポーランドに入るウクライナ難民

日本も同じです。ミャンマーのロヒンギャ難民は受け入れようとしないのに、ウクライナからの人たちは「避難民」として、難民とは違うという名目で受け入れていますよね。もちろん、ウクライナの人々を温かく受け入れるということは必要なことです。しかし、そのほかの国々の人に対してもそういうことをしてきたでしょうか。やはり我が身をかえりみて、少し反省をしたほうがよさそうです。

戦争が始まり、時間が経つにつれ、いろいろな問題が明るみに出てきました。この難民の問題もそのうちのひとつかもしれません。単に助ければいいというだけではなく、そこに実は差別が存在しているかもしれないということも認識しておく必要があると思います。

安全保障は武力だけではない

――戦争がこれだけ長期化すると、食料やエネルギーなど、二次的な分野にも深刻な影響が出はじめています。

池上　それで「食料安全保障」という言葉が注目されているわけです。

第二次世界大戦以降、貿易においては自国本位の保護主義ではいけないと、自由貿易を促進する「GATT（関税および貿易に関する一般協定）」という仕組みができました。そして、それがWTO（世界貿易機関）に発展しました。

これまで各国は、何でも海外から安く輸入できるからいいと考えていました。ただ今回のようなことがあると、結局はみな自国を優先するんですね。食料については当たり前といえば、当たり前です。

ウクライナが大きな生産国だった小麦は、値段が跳ね上がりました。小麦が入ってこなくなるとパンや麺類をはじめとして、ありとあらゆるものが値上がりしてしまいます。日本の場合は幸いなことに主食としての米がありますが、やはり食料を自給できる体制が大切であるということは今回よくわかったと思います。

トルコに到着したウクライナの穀物

もうひとつはエネルギー安全保障です。ドイツをはじめとするヨーロッパは、ロシアから天然ガスを輸入していたので、今自国のエネルギー問題に頭を悩ませています。日本もサハリン１・２というロシアの石油・天然ガス開発に出資しており、結局出資を続けることにしました。私たちはいつも「安全保障」というとすぐに武器を使った戦い、物理的な戦争のことを思い浮かべます。しかし、そうでなくても、食料が手に入らなくなったり、石油やガスなどのエネルギーが断たれたりすれば、

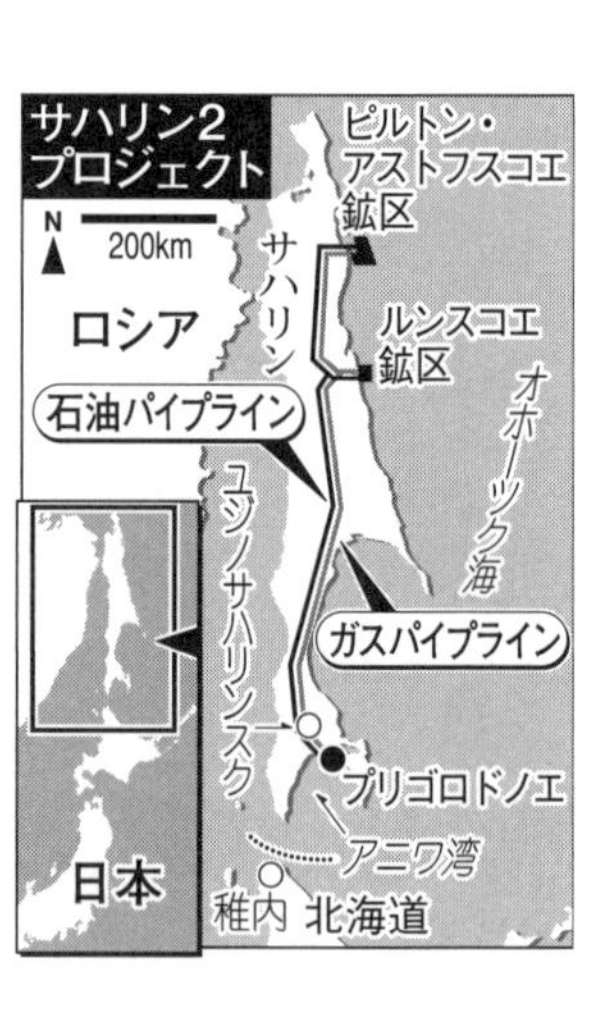

国家は危機に陥（おちい）ることになります。私たちはそのような認識を日頃から持っておくことが大切だと、改めて知ることになりました。

――戦争は、直接戦闘が起こっていない地域にも、食料やエネルギーなど、間接的な影響を確実におよぼすということですね。

池上　はい。その通りです。その点からすると、ロシアは自給自足ができる国なんですね。だから各国が経済制裁をしても、すぐには音を上げない。

もちろん長期的に見れば、ミサイルや戦車を新たに作ることができないとか、きちんと安全対策を施（ほどこ）した乗用車が作れないなどということは出てきています。でも、とりあえず食料とエネルギーは国内でなんとかなるわけです。世界からの制裁による我慢くらべに、ロシアは強いんです。

――ロシアは元々環境が厳しい国であることにくわえ、我慢強かったということを私たちは忘れていたのかもしれません。

池上　確かに若い人たちにとってみれば、スターバックスがなくなってしまったら困ります。でも、すぐに「スターズコーヒー」というロゴもそっくりなコーヒーチェーンができたり、マクドナルドがなくなったら「「フクースナ・イ・トーチカ（おいしい、それだけ）」のような店ができる。もちろん元の店とは違うものですが、同じようなことはだいたいできる。

くわえて、現在の高齢者は旧ソ連が崩壊した直後、１９９１年頃のあらゆるものがない時代を経験しています。エリツィン政権下での耐乏（たいぼう）生活をした人たちにしてみれば、今の状況はたいしたことがない。

――そうすると、ロシア国民はそう簡単にギブアップしないということでしょうか。

「フクースナ・イ・トーチカ」の看板

池上　そうだと思います。けっこうしぶとく耐えることができるのではないかと思います。ただ、中長期的には、半導体が入ってこなくなってしまうので、新しいミサイルを作れなくなります。戦車工場は開店休業状態だそうです。つまり、戦車を作るための原料である鉄はいくらでもあるのだけれど、それを動かすシステムが作れない。

――半導体がないために、北朝鮮やイランから兵器を買っているというニュースもありました。

池上　そうですね。北朝鮮からは単純な砲弾を買い、イランからはドローンを大量に買っています。そもそも北朝鮮の兵器は、旧ソ連の装備なので、今のロシアの大砲にぴったりあうわけです。

戦争終結のスキーム

――そうなってくると、今後、戦争はどう収束していくのでしょうか。

池上　とにかく長期戦になるということは間違いありません。

――ロシアとウクライナが折りあえる点はあるのでしょうか。

池上　現状からの推測ですが、２０２３年の夏ぐらいにロシア軍が弾を使い切って、新たに攻めることができなくなったときに、戦線は膠着するでしょう。ただ、ウクライナ軍もどこまで戦闘を続けるかということはわかりません。

　ウクライナ側は、クリミア半島とルガンスク州、ドネツク州の東部２州を取り戻すと言っています。けれど、ロシアは簡単には退かないので、ここをめぐっての長期戦にな

るだろうと思います。双方の妥協点というのは非常に難しいですね。ウクライナに対してクリミア半島、あるいは東部2州をあきらめろとは言えませんよね。それを受け入れれば、ゼレンスキー大統領は失脚してしまうでしょうから。

――現実的には、やはりそのあたりが焦点になるのですね。ウクライナ側が、精一杯頑張って若干譲歩するとしても、仲介者がどう入るかということも課題です。

池上　そうなると、どこが仲介するかということが問題ですね。これはトルコでしょう。本当は中国がやればいいのですが。

――そうですね。ここで中国が入れば、別の意味でも存在感を出せるのでしょうけれど。

池上　実は、中国は元々ウクライナとの関係も良好ですし、ウクライナから大量の兵器を買ってもいます。でも、中国は今、それだけの余裕がないのかもしれません。習近平（しゅうきんぺい）総書記は、これまで前例のなかった自身の3期目の体制固めで忙しい。

――それでも中国の戦略としてはどうでしょうか。かつての中華圏への関心が非常に強い国ではありますが、中央アジアや東欧の方まで関わろうとするのでしょうか。

池上　プーチン大統領は、2011年に「ユーラシア連合」という構想を発表しています。EUのように関税を撤廃（てっぱい）するという構想で、旧ソ連だったベラルーシとカザフスタン、アルメニア、キルギスが「ユーラシア関税同盟」を構成、CSTO（集団安全保障条約）という軍事同盟もあります。

そして、中国はロシアとその中央アジアの国々（カザフスタン・キルギス・タジキスタン・ウズベキスタン）と「上海協力機構（SCO）」という軍事同盟を作っています。

――2022年はウズベキスタンのサマルカンドで首脳会議がありました。

池上　上海協力機構には、パキスタンやインドも入っています。2021年の会議で、これまでオブザーバーだったイランが正式に加盟することになりました。中国としては、自らの構想である「一帯一路（いったいいちろ）」とこの地域をつなげ、より深い関係を構築したい。一帯一路もユーラシア大陸を通っていますからね。そういう意味からも、ロ

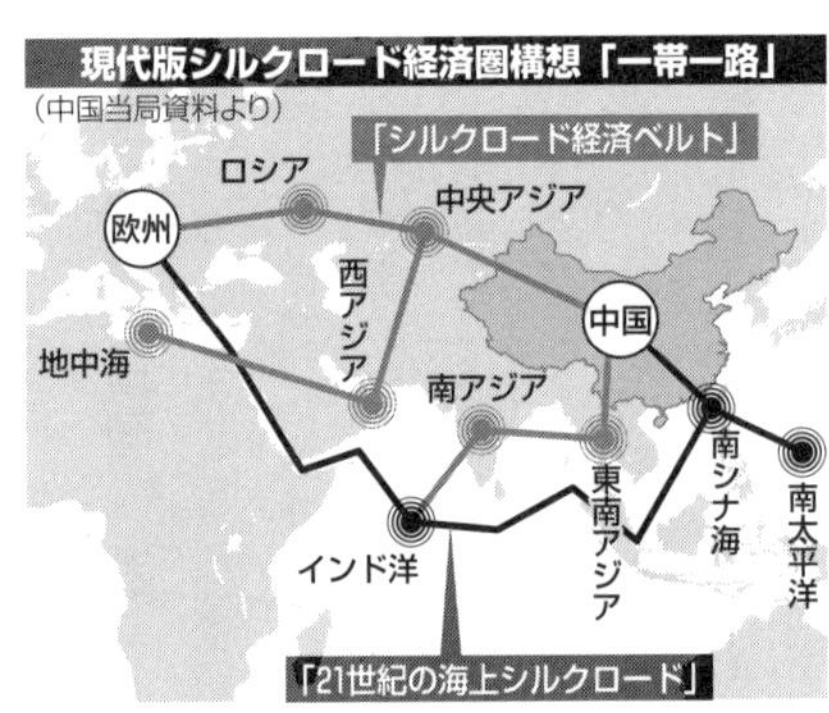

シアの「ユーラシア連合」構想には、中国も乗りやすいんです。

一方、ロシアは加盟国を増やすためにも、中国の「一帯一路」に協力するという形にすれば、利害が一致して、中国をこの計画に引き入れることができるわけです。そして、地域で自給自足ができる新しい経済圏、そんな「ユーラシア経済圏」を作ろうとしてい

るんです。

――なるほど。中国とロシア、ユーラシア大陸がひとつの経済圏になれば、日本を含めた欧米対ユーラシアという、二極化の時代に突入するわけですね。

池上　はい、そうなる可能性があります。それを「新しい冷戦」と呼ぶのか、あるいは「新しい世界秩序」と呼ぶのかはわかりませんけれどね。

それでも、「冷戦」という言い方はやはり少し違うんですね。冷戦というと、これはイデオロギーの対立ですから。今回はイデオロギーの対立ではありません。あくまで国の覇権（はけん）だったり、エネルギーや食料をめぐっての権力闘争です。そんな冷たい対立なんですね。

――１９５０年代にあったような、かつての東西冷戦とはちょっと違うということですね。

池上　はい。アメリカとヨーロッパ、いわゆる欧米と、それ以外の国々ですね。つまり、欧米対ユーラシアという対立です。

国対国の関係でいうと、今は米中対立が非常に大きくなりつつありますが、ロシアというファクターもあることを忘れてはいけません。そして、それらの大国をつなぐ接着剤として、カザフスタンやタジキスタン、ウズベキスタンのような中央アジアの国々があるんです。そういう意味で、今後注目していきたい地域、会合です。

アメリカの中間選挙

――ウクライナでの戦争がこれだけ長期化すると、やはりアメリカのバイデン政権の運営にも影響がおよびますね。

池上　今、アメリカ国民のウクライナに対する関心が落ちています。物価高でインフレが続くと、やはり人々は自分の身の回りの暮らしが大切になる。戦争は、遠い世界の話になってしまうんです。バイデン政権はもちろん一生懸命ウクライナを支援していますけれど、一部の国民は何であんなにやるんだろうと、思いはじめている。特にトランプ支持者は、ヨーロッパのことはヨーロッパに任せればいいではないか、ロシアがやりたいならロシアの好きにやらせればいい、アメリカはロシアと対決する必要はないという姿勢です。これで２０２４年の大統領選挙に向けてトランプ氏が出てくれば、ウクライナをどこまで支援するのかという議論も出てくるでしょう。

中間選挙期間にフィラデルフィアの集会に参加する、オバマ元大統領とバイデン大統領

――バイデン大統領にとって、今までウクライナを支援することは、国民に対してプラスだったのが、ここにきてそうでもなくなってきているということですね。

池上　そうですね。ウクライナへの支援疲れが出てきているということだと思います。

――国民生活には、それ以上の問題があり、バイデン政権への不満から共和党やトランプ氏が復活、復権するということはあるのでしょうか。

池上　共和党は伝統的に、反ソ連、反ロシアです。だから、共和党は本来ウクライナ頑張れ、ロシアをやっつけろと言うはずなのですが、トランプ派は親ロシアですからね。

――戦争が始まった頃によく言われたのが、もしトランプ氏があのままアメリカの大統領だったら、ウクライナで戦争は起こったか、ということでした。

池上　はい。もし、アメリカが2期目のトランプ政権だったら、この戦争はなかったかもしれません。おそらく、ゼレンスキー大統領に対して、ロシアの言うことを聞け、そういう圧力をかけたでしょうね。そのうえ、ウクライナにＮＡＴＯには入るなとも言ったでしょう。そもそも、トランプ氏はＮＡＴＯからの離脱を考えていたほどですから。

――トランプ氏は、ヨーロッパで起こっている面倒を引き受けたくないのですね。

池上　そうなんです。だから、きわめて逆説的ですが、トランプ氏が大統領だったらウクライナにロシアの属国になれと言って、結果的に戦争はなかった気がしますね。

――もちろんそれは仮定の話ですが、そういうことがあったかもしれないということですね。今後トランプ氏が復権してきた場合、そのシナリオが現実のものになる可能性があります。

池上　もしトランプ氏が大統領になったら、ウクライナへの軍事支援は大幅に削減するでしょう。プーチン大統領との個人的な関係もそれほど悪くはないですものね。それほど悪くないどころか、異常なまでに密接でしたからね。２０１６年の大統領選挙では、トランプ氏が対抗馬のヒラリー・クリントン陣営の選挙戦を妨害するよう、ロシアに依頼していたとされています（「ロシア疑惑」）。そのおかげでトランプ氏は大統領になれたんですから。

――そのアメリカ、国内の話題に移りますが、中間選挙が昨年11月にありました。

池上　これは上院と下院の選挙ですが、上下院それぞれで予備選挙をやっています。日本の選挙の場合、現職議員がいる場合は現職優先ですよね。一方、アメリカの場合は民主党も共和党も、たとえ現職がいても、候補者をどうするか、必ず選挙区ごとに予備選挙をするんです。

その結果、共和党は上院でも下院でもトランプ氏が支持したトランプ派が相当数候補者になりました。実はこの中にはとんでもない候補が何人もいたんです。親トランプで、そもそも2020年の大統領選挙はトランプ氏が勝っていたはずだ、票を盗まれたのだということを本気で主張する人物や、2021年1月6日に、アメリカ連邦議会議事堂に武力で突撃したことを何の問題にもしていないという人が、共和党の候補にかなりなりました。

上院議員選挙では、結局、共和党は議席を増やすことができませんでした。ただし下院議員選挙は、かろうじて共和党が勝ちました。上院と下院でねじれが起きたんです。

共和党のＪ・Ｄ・バンス上院議員候補（右）の応援に駆けつけたトランプ元大統領（左）

――この結果が、２年後の大統領選にどうつながっていくのでしょうか。

池上　トランプ氏は２０２４年の大統領選に出ることを宣言しました。その一方で、フロリダ州のデサンティス知事（１９７８年生まれ）も有力な候補になりつつあるんです。共和党の中でも、トランプ氏の年齢を考

フロリダ州のデサンティス知事

えると、難しいのではないかという層もいます。2年後は78歳になってしまいますからね。となると、やはり若い人がいいのではないか、ということになって、この後デサンティス氏が急激に伸びてくる可能性があります。

——この共和党内の戦いは、2023年の前半くらいまではわからない状態ですね。

池上　ただ、昨年8月にはFBI（連邦捜査局）が、トランプ氏のフロリダ州にある自宅「マール・ア・ラーゴ」を家宅捜索しましたよね。自宅からは、機密文書が相当見つかりました。それには、国の最高機密とされるものも含まれるそうです。つまり、国家機密のファイルからトランプ氏がいくつか抜き出しているんです。たとえば、もしそれがロシアに渡っていたなんてことになったら致命的ですね。FBIの捜査次第ではありますけれど。

──あいかわらずトランプ氏の勢いはあるけれど、そのあたりは先が見えないという感じですね。

ヨーロッパとNATO

──ウクライナでの戦争がヨーロッパにおよぼしている影響の中では、特にNATOに関するものが大きいですよね。

池上　はい。大きいと思います。北欧の２カ国、フィンランドとスウェーデンがNATOに加盟を申請することになったというのは、プーチン大統領にとっていわばオウンゴールですよね。

これまでフィンランドとスウェーデンは中立政策をとっていました。そこがロシアとヨーロッパの緩衝地帯（かんしょうちたい）になっていたわけです。それが２カ国ともにNATO側に入ってしまった結果、ロシアはフィンランドとの非常に長い国境線で、NATOとじかに接することになってしまいました。

今回のロシアの行動に加え、アメリカでは大統領がトランプ氏からバイデン氏に代わったことによって、NATOの結束が強くなりましたよね。

――アメリカとヨーロッパが団結するようになったということですね。

池上 はい。ただし、NATOとしてのまとまりはしっかりしましたけれど、個別に見ていくと、ロシアへの対応には、国によって温度差があります。とにかくロシアは許せない！ といきり立っているイギリス、まあそれでもあまり責めると自国の経済に影響があるから……と腰が引けているドイツとフランス。ここで認識の差が出ています。昔からあるこの二つの力の対立が、今回ロシアという要素でも改めてはっきりしました。

――2020年にイギリスはEUを離脱しましたが、ヨーロッパ内部のスタンスの違い

NATOへの加盟について記者会見にのぞむバイデン大統領（中央）とフィンランド・ニーニスト大統領（左）、スウェーデン・アンデション首相（右、当時）

も出てきているということですね。

池上　はい。表向きはヨーロッパの団結が進んだように見えます。NATOとしての結束も進みました。しかし、内側をよく見てみると亀裂（きれつ）は存在するという感じですね。

――これは近い将来、ヨーロッパの問題の種になってしまいそうですね。

池上　そうだと思います。

エリザベス女王死去

――このヨーロッパの流れでいうと、イギリスでは、昨年9月にエリザベス2世が96歳で亡くなりました。

池上　そうでしたね。エリザベス女王は父親のジョージ6世が亡くなり、1952年に25歳で即位、それから70年間国王の座にありました。やはり、イギリス国民を統合する象徴なんですね。

今、イギリスがEUから離脱したことに反発して、スコットランドがイギリスから独立しようとして、その是非を問う住民投票をやろうとしていますよね。これまでエリザベス女王だったから、国が統合されてきた面もあるでしょう。残念ながら息子のチャールズ3世は正直言ってあまり人気がありません。イギリス国王は、イギリス連邦の国15カ国の元首でもあるのですが、15カ国の中には、元首は女王をもって最後にしたいという国も出てきていますよね。そのような意味でも、イギリス国民をまとめていけるかどうか、イギリス連邦の56カ国が団結していけるかどうか、ということが、チャールズ国王にとっての大きな課題になるのだろうと思います。

エリザベス２世の国葬で、女王のひつぎに付き添うチャールズ英国王

――ちょうど首相もボリス・ジョンソン氏からリズ・トラス氏に代わり、女王が亡くなる2日前に任命されたばかりでした。サッチャー首相、メイ首相に続く、イギリス史上３人目の女性首相でした。

池上　彼女はその変わり身の早さから「風見鶏（かざみどり）」と言われていました。政界の機を見るに敏なのでしょうが、結局、国をまとめることができず、10月にはリシ・スナク氏が首相になりました。スナク氏はインド系で42歳。非白人がイギリスの首相になるのは初めてですし、

42歳という若さも画期的です。

――イギリスという国は、かなりその存在感が変わってきそうですね。

池上　イギリス国歌もこれまでの「God save the Queen（神よ女王を守りたまえ）」から、今度は「God save the King（神よ国王を守りたまえ）」になりましたし、イングランド銀行が発行する紙幣もチャールズ国王の肖像が描かれたものに変わっていくことになります。

中国の動きは

――これまで、ヨーロッパ、アメリカを見てきましたが、アジアに目を転じてみることにします。ロシアによるウクライナ侵攻の中国への影響はどうでしょうか。

池上　中国はこの状況をかなり注意深く見ていますよね。つまり、ロシアに対して世界の国々がどのくらい経済制裁をしているのか。そこから、もし中国が台湾に武力侵攻した時には、どれだけ周辺の国々が中国と対決をすることになるのか、また経済制裁をすることになるのかというあたりです。とりあえず今は、武力行使をするといいことはない、ということはわかったのだろうと思います。そういう意味で、戦争についてはより慎重であるべきだと考えているでしょうね。

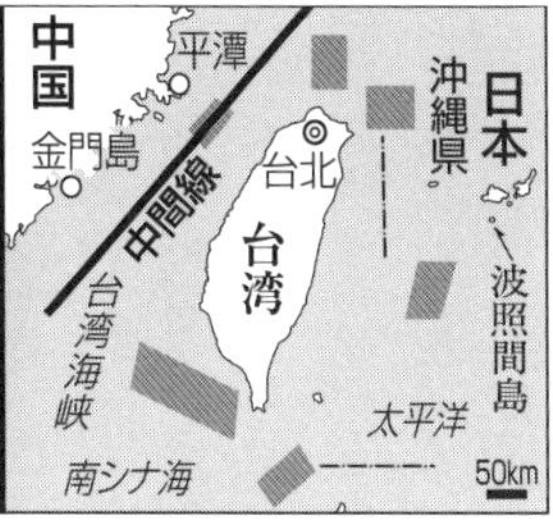

中国軍の演習エリア（■）と中間線

今の状況を見る限り、中国による台湾への武力侵攻の可能性はゼロとは言えません。それでも、かなり低いのではないかと思います。今は孫子の兵法、つまり「戦わずして勝つ」ということを考えているのではないでしょうか。今、連日のように中国空軍が台湾との中間線を越えています。台湾空軍もそのたびにスクランブル発進していて、疲弊してしまっています。中国にしてみれば、これを常態化し、毎日のことにしていく。それで、小さなことを積み重ねていって最終的には全部を取るという、いわゆるサラミ法でじりじりと台湾に迫っていく。

昨年8月にアメリカのペロシ下院議長が台湾を訪問したことに反対して行われた大規模な軍事演習は、台湾をこうやって包囲するんだというシミュレーションでした。台湾の周囲の海域を押さえてしまえば、貿易をはじめとして何から何まで遮断できてしまう。こうやって台湾を他国から切り離すことができるんだぞということを見せつけながら、台湾の世論の変化を待っている。お互いに対立するからこんなことになってるんだ、いいことないよね、というわけです。

そして、現在の蔡英文(さいえいぶん)総統は民主進歩党ですが、いつか国民党が政権を取ったときに、「第三次国共合作」をねらう。その結果、中国は戦わずして台湾を手中に収めることができる。そんな戦略を持っているのではないかと見ています。

――アジアでは、ロシアが行ったようなことを単純に繰り返すことはない、ということですね。東アジアの歴史から学ぶべきところですね。

朝鮮半島

――朝鮮半島はどうでしょうか。特に韓国は、昨年5月に大統領が交代しました。新しい日韓関係もはじまりそうです。

池上　そうですね。尹錫悦(ユンソンニョル)大統領は、日韓関係を改善したいと考えています。やはり日米韓がしっかりと団結してはじめて北朝鮮に対峙(たいじ)できるのだ、という考えですね。韓国は、政権交代が起きると、親北朝鮮から反北朝鮮へと、国もがらっと変わりますね。文在寅(ムンジェイン)政権は、とにかく親北朝鮮でした。そうなると、結果的にアメリカとも疎遠(そえん)になるし、日本との関係も悪くなる。今度の尹大統領は、北朝鮮と対峙しなければいけないと考えているので、アメリカや日本との関係を改善したい。それで徴用工(ちょうようこう)問題など、対外的な関係の障害になっている問題を何とか解決しようとかなり頑張っているのだと思います。

昨年11月、プノンペンで会談に臨む岸田文雄首相と韓国・尹錫悦大統領

──尹大統領は、徴用工問題についての妥協案にとても前向きですね。日韓関係は改善していくのでしょうか。

池上　韓国は熱心に日本に働きかけてくると思います。その時、日本はそれをどこまで受け入れることができるのか。日本国内には、韓国に反対する意識を持っている人たちもいますよね。そろそろ日本がボールを投げ返す順番のような気がします。

一方の北朝鮮は、もうすっかりロシアにべったりになりましたね。ウクライナに関していえば、ウクライナの親ロシア派が勝手に独立を宣言した「ドネツク人民共和国」と「ルガンスク人民共和国」の二つの国を、北朝鮮は昨年7月にいち早く国家として承認しました。

北朝鮮は過去に核実験を行ったり、弾道ミサイルを発射したりしました。そのことによって、国連の安全保障理事会では北朝鮮に制裁を行う決議がされました。そのため、国連の加盟国は北朝鮮の労働者を受け入れてはいけないことになっています。ところが、自称2カ国はロシアに編入されましたが、北朝鮮はドサクサに紛れて自国の労働者を送り込んで働かせようとしています。

――本来は、国際ルールに従わなくてはならないのですが。

池上　そうなんです。労働者を送り込むことによって外貨ルーブルを得られれば、このルーブルでロシアから石油を買うことができるというわけです。

――ウクライナでの戦争は、北朝鮮にとってとてもありがたいチャンスだということですね。

池上　実はロシアはこれまで北朝鮮には手を焼いていて、けっこう冷ややかな態度だったんです。ただ、北朝鮮に対して面と向かって反対はしませんでした。それが、今回の戦争があってから、急激に親密になりましたね。ロシア側もそれなりに北朝鮮をあてにするようになったんです。先ほどの話にも出ましたが、今、ロシアは北朝鮮から大量の砲弾を買いつけていると言われています。北朝鮮の武器は元々ソ連の技術で作っていたものです。だからロシアではそのまま使える。ロシアはそれを大量に買ってルーブルで支払う。2国はお互いにウィンウィンの関係を作りつつあるんです。

――北朝鮮にとっては、政権交代によって韓国との対立が深まるだけに、ロシアもしくは中国との関係を強くしておきたいという思いもあるのでしょうね。

池上　はい。その傾向は一段と進んでいくと思います。朝鮮半島の南北関係や日朝関係は、あまり期待できませんね。北朝鮮は、日本海側に向けてミサイルを何度も撃っていますけれど、当面これは続くでしょう。昨年11月には、発射実験に、金正恩（キムジョンウン）総書記が自分の娘を同行させる写真も公開されました。

――核実験も考えているのでしょうか。

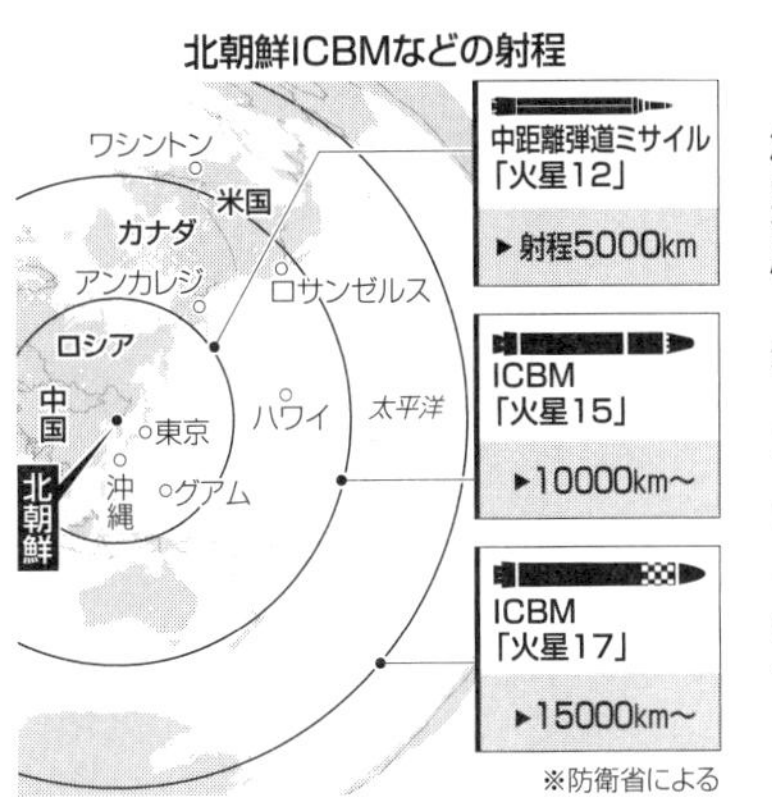

池上　ミサイルをどんどん発射して実験することによって、性能は相当よくなっています。おそらくアメリカまで届く大陸間弾道ミサイルもすでに開発していると思います。核実験の可能性もあります。

――なるほど。アメリカや日本に対する脅威（きょうい）は非常に増してきているということですね。

池上　そうですね。

日本国内の問題　安倍元首相銃撃事件

――ここからは日本の出来事を振り返ります。まずは安倍元首相の事件からです。昨年7月の参議院議員選挙の期間中、奈良市で街頭演説をしていた安倍元首相が銃撃され、亡くなるという事件が起こりました。

池上　これは衝撃的な事件でしたよね。国民が衝撃を受けて茫然自失（ぼうぜんじしつ）になっている時に、岸田首相は安倍元首相の国葬をやることを早々に決めました。しかし、勢いに乗って言ってみたところ、その後だんだん国葬に対する反対意見が増えてきてしまいました。自民党の議員と世界平和統一家庭連合（旧統一教会）との関係が明らかになり、国葬についてはますます反対する人が増えてきました。

さらに、岸田政権の閣僚と旧統一教会との関係も出てきたので、8月には一挙に内閣改造。旧統一教会の影を払拭しようとしてみたら、新しい閣僚もやはり多くが旧統一教会との関係を持っている人物でした。

――自民党の調査では、旧統一教会との関係がない人はいないほどでした。

日本武道館で行われた安倍晋三元首相の国葬

池上　旧統一教会と接点があった議員は、179人ということでした。もっといるのでしょうが、とりあえず表に出たのがその数でした。旧統一教会との関係はここまでになっていたのかと国民も驚きましたよね。

それでも、旧統一教会との関係は、1960年代の国際勝共連合にさかのぼるわけです。自民党の反共産主義といえば右派で岸信介元首相を源にする清和会系の人たちです。だから彼らとの関係が一番深い。家庭が大切だとか、同性婚は認められないとかいう主張は清和会系の議員と親和性が高かったので、旧統一教会も自民党の右派に浸透していったわけです。

一方、岸田首相の宏池会はリベラルなので、あまり標的にはなっていなかった。だから、議員と旧統一教会との関係は若干ありますけれど、清和会の議員ほどずぶずぶではない。おそらくそのこともあって、岸田さんは自民党の中にそこまで教団が入り込んでいることに気付かなかったのではないでしょうか。それがこんなことになって、頭を抱えていると思います。

——調査をすればするほど、旧統一教会との隠れた実態が出てきますが、これは今後の政治にどのような影響を与えるでしょうか。

池上 政治と宗教の関係ということになると、現在与党の一翼を担う公明党が動きづらくなるでしょうね。創価学会との関係がありますから。

おそらく岸田首相としては、とにかくこうやって自民党と旧統一教会との関係を自ら洗い出したということにしたいのでしょうね。関係といっても、人によって濃淡があるので、たまたまの付き合いは不問に付し、うんと関係が深いところに関しては、とにかくきちんと遮断（しゃだん）しなさいということでしょう。

11月には、文部科学省が「質問権」を行使して、教団の調査を始めました。ただし、信教の自由は憲法で保障されていますし、政教分離といっても、宗教団体には政治活動の自由が認められています。そのため、今後、宗教法人格を剝奪（はくだつ）するかどうかというところは、きわめて難しいところですね。

岸田政権としては、消費者被害に遭っている人は、政府を挙げて救済します。けれど個人の宗教の自由、政治活動の自由には介入しませんという形で、これを抑えようと考えているんでしょう。しかし、世論がそれに納得するかどうかというのは少し微妙ですね。

――選挙が終わったばかりですから、これですぐに政権の信を問うということにはなりません。しかし、岸田首相の方針が問われているということですね。一方で、安倍元首相が不在になったからこそ進むこともあるのでしょうか。

池上　たとえば、性的マイノリティの問題や選択的夫婦別姓、同性婚の問題などは進むかもしれませんね。安倍元首相とその仲間たちがすべてブレーキをかけていたわけですから。

それから、敵基地攻撃能力、最近は「スタンド・オフ・ミサイル」などという言い方をしていますが、これに関しても、とにかく安倍さんたちは進めたかった。岸田首相はどちらかというと、そこにはブレーキをかける方向でしたが、ここへ来て「反撃能力」という表現で進めようとしています。

また憲法改正についても、岸田首相は安倍さんがいた時は彼を敵に回すわけにはいか

記者団の質問に答える岸田首相

ないので、しぶしぶ憲法改正をやるという姿勢を見せていましたけれど、本人は憲法を改正する強い気持ちはないと思います。そのような意味では、九条を中心とした憲法改正にはブレーキがかかるのではないでしょうか。

――憲法改正は本来、自民党として進めたいことでしょうが、安倍元首相の弔い合戦ということで進むかというと、そうはならないのでしょうか。

池上　そうはならないと思いますね。だから、昨年9月に安倍元首相の国葬を終えたら、もうそこから先は岸田カラーを出していこうということだろうと思います。

また、安倍さんがいなくなったことによって、清和会はバラバラになりつつあって、司令塔がいないという状態になっています。

次の選挙までは間があると言われていますが、統一教会をめぐる問題で、山際経済再生相が10月に辞任。11月には葉梨法相と寺田総務相も別の問題で事実上更迭されました。そういうこともあって私は、今年5月に行われるG7サミットの後、7月くらいまでに解散総選挙をするのではないかと見ています。

G7サミットが行われる広島は岸田首相のお膝元です。核保有国であるアメリカ、イギリス、フランスの首脳を呼んで、広島平和記念資料館を見せるわけです。そしてみな核廃絶に向かって努力していきましょう、と宣言する。そうすれば、岸田首相の支持率も上がるかもしれません。その勢いに乗って、一挙に6月、7月あたりに衆議院を解散して選挙をする。そして、自らの派閥の議員を増やす。そこで安定政権を維持して2024年の自民党総裁選挙に臨むのではないか。そんなシナリオもあるかもしれません。

――となると、2023年の注目点は、広島のG7サミットですね。

池上　そうですね。このG7サミットに向けて、日本国内では、各地で閣僚会議がありますね。

――外相会合は軽井沢、財務相・中央銀行総裁は新潟、科学技術相は仙台、男女共同参画・女性活躍担当相は日光などです。

池上　それによって5月のG7首脳会議へ向け、議長国としてムードを高めていく。岸田首相の戦略は明らかにそれをねらっていますよね。

――安倍元首相という重石がなくなったことで、岸田首相が動きやすくなった部分はあるのでしょうか。

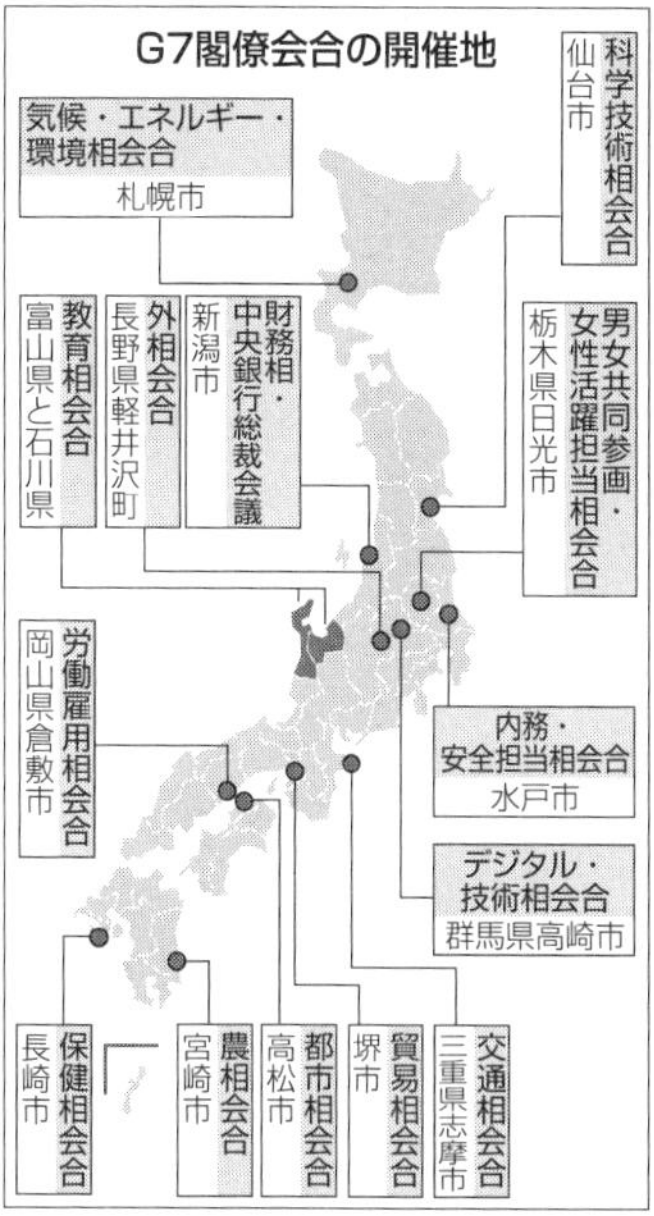

池上　それはあると思います。

一方で、円安も非常に深刻になっています。日本銀行の黒田総裁の任期が2023年4月で切れるんです。安倍元首相がいれば、間違いなくまたリフレ派で、とにか

G7閣僚会合の開催地

科学技術相会合 仙台市
気候・エネルギー・環境相会合 札幌市
男女共同参画・女性活躍担当相会合 栃木県日光市
財務相・中央銀行総裁会議 新潟市
外相会合 長野県軽井沢町
教育相会合 富山県と石川県
内務・安全担当相会合 水戸市
デジタル・技術相会合 群馬県高崎市
労働雇用相会合 岡山県倉敷市
交通相会合 三重県志摩市
貿易相会合 堺市
都市相会合 高松市
農相会合 宮崎市
保健相会合 長崎市

くお札をどんどん刷ればいいという人が後継者になる可能性がありましたが、岸田首相はそういうやり方はしないでしょう。伝統的な金融政策をする人をトップに据えて、何とか円安に歯止めをかけようと、金融政策も大きく転換する可能性がありますね。

円安問題

――昨年やってきた急激な円安は、今年も大きな影響が続くでしょうか。

池上　そう思いますね。昨年アメリカに取材に行ってきましたが、当時は1ドルが150円でしたから、ラーメンとギョーザを食べたらチップ込みで5000円になりました。

――円安で海外からの訪日客が来やすいタイミングではありますが、まだまだ新型コロナの影響が続いて、インバウンドの回復はこれからですね。

池上　そうですね。世界各地を見渡すと、マスクをしているのは東アジアの国々だけですね。ヨーロッパやアメリカでは、もうマスクをしていません。昨年イギリスのヒースロー空港で日本へ帰国する飛行機に乗った人から聞いたら、ＪＡＬのカウンターだけは全員マスクをしていて異様な光景だったそうです。

水際（みずぎわ）対策を緩和（かんわ）していくことによって、インバウンドを増やしていくことが、今年はかなり進むのだろうと思います。昨年10月11日には、１日あたり5万人としていた訪日外国人客の上限を撤廃（てっぱい）し、ツアー客以外の個人客も入国できることになりましたよね。コロナ前、中国からの観光客が大勢来ていた頃は、１日約8万人の入国があったそうです（２０１９年の訪日外国人旅行者数は３１８８万人、２０２０年は４１２万人）。海外からの観光客を増やしていくことによって経済を立て直していくという方向に、日本は向かわざるを得ないのだと思います。

新型コロナ問題

――そのような流れからすると、新型コロナについて、昨年は「ウィズコロナ」でしたが、やはり今年もそれが続くのでしょうか。

池上　昨年秋から、従来型のワクチンに加えて、新しくオミクロン株に対応した「2価ワクチン」の接種も始まりました。日本の製薬会社が開発した軽症者にも使える飲み薬も、11月に緊急承認されました。ワクチン接種によって、少なくとも重症化はしなくなるわけですね。これから、新型コロナウイルスもインフルエンザと同じような扱いになっていくのだと思います。それに向かって、おそるおそる歩みはじめているというところではないでしょうか。

――新型コロナについては、海外で先行した動きがありますが、日本もその方向に変わっていくということですね。

池上　アメリカとヨーロッパでマスクをしていないのは、みな相当程度の人が感染してしまったからです。集団免疫が獲得されてしまいましたから。日本では、感染そのものを抑えてきたために、今ここへきてどうすればいいのかということになっている。海外は、マスクをすることを義務化して、みな嫌々やっていたのですが、義務化をやめたとたん、みなパッとはずすわけです。日本は、マスク着用を義務化こそしていないけれど、同調圧力があってマスクをしていました。だから周りを見わたして、自分だけマスクをはずすことができない。結果的にずるずると現在まできているということですね。

——とはいえ、日本の公衆衛生が果たした役割もありますよね。これからはどういう展開になっていくと考えられますか。

池上　今回の新型コロナウイルスからは、様々なことを教訓として学ぶことができました。このグローバルな時代、いずれまた別の感染症が入ってくることになると思います。だから、ただちに対応できるような仕組みというのは、やはりこれからも作っていかなければならない。その時のために、普段は保健所なんて必要ないからと、保健所を減らしてはいけない。何かあったときのために、準備をしておかなければならない。病院のベッドにしてもそうですが、日々ギリギリでやるのではなく、緊急時のためのゆとり、バッファ（緩衝、余裕）を持っておくことが大切だということですよね。

地球温暖化問題

──同じようにグローバルな問題としては、昨年の夏、温暖化の影響がいろいろなところで出ました。2022年は目の前に大きな事件が続き、このような継続して地球規模で考えなければならない問題はかすみがちでした。

池上　それでも温暖化に対しては、世界全体で危機意識が醸成されてきたのではないか

COP27で演説するアメリカのアル・ゴア元副大統領

と思います。アメリカやヨーロッパの熱波はもとより、パキスタンでは氷河が溶けて、大洪水になりました。こういうことを引き起こす地球温暖化への対策は本当に待ったなしだという意識が高まったとは思います。

ただ、ロシアのウクライナ侵攻によって、ロシアからの天然ガスがヨーロッパに入ってこなくなり、ドイツでは石炭火力発電所をもう一度稼働させようということになりました。こういう一部の分野では確かにブレーキがかかっていますね。

２０１６年に発効したパリ協定などがきっかけとなって、温暖化対策をしなければならないという機運は高まったと思います。国連で採択され、近年よく耳にするようになった「ＳＤＧｓ」でも、「気候変動に具体的な対策を」という項目があります。そんなことからも、世界はいわば二歩前進しましたが、ロシアによるウクライナ侵攻によってエネルギーの問題が起こり、温暖化対策は一歩後退してしまった感があります。一進一退ではありますが、とにかく人々の危機意識だけは世界共通になったと思います。

――エネルギー政策については、ヨーロッパも日本も原子力発電所をどうするかという問題が必ずついてまわります。昨年8月、岸田首相は原発増設の方針を表明しました。

福島第一原発の敷地内に並ぶ処理水タンク

池上　そうですね。東日本大震災があって、原発はもう増やさないという方針だったのではないか。これまでの自民党は、原発をすぐに減らすとまでは言わないけれど、増やさないという約束で選挙をやってきたのではないか。それなのに、選挙が終わったとたん増やすとはどういうことかと、驚きや反発の声が上がりましたね。その一方で、夏の暑い時期に電力不足だとしきりにキャンペーンをやっていたのが、この伏線だったのかと思った人も多かったのではないかと思います。

――昨年の夏は猛暑が続きました。あれだけ節電を呼びかけていたことも、原発を容認しやすくする素地を作ったのかもしれません。

池上　そうですね。これからもちろん原発は減っていく傾向にあるけれど、しばらくは代替策がないということで続きそうです。国内では老朽化(ろうきゅうか)している原発がありますが、それをやめた時に、どうするのか。先日岸田首相は「リプレース（建て替え）」と言っていました。つまり、これまでなかった場所に新たに作るのではなく、今ある原子力発電所の敷地内に建て替える。古くなった原発を停めて、その横に新しい原子炉を作るということですが、そんな動きが加速する可能性があります。また、現在原則40年、最長60

年とされている原発の運転期間を延長しようという議論が経済産業省で行われています。

東京オリンピック問題

――問題が続くといえば、東京オリンピック・パラリンピックが2021年に開催され、その1年後である昨年は様々な問題が噴出しました。

池上　よく耳にするのがオリンピック招致をめぐる不自然なお金の流れ、そしてオリンピックそのものに関する黒いお金の流れですが、今回は東京オリンピックのスポンサー契約をめぐる汚職と、テスト大会、本大会に関する談合ですね。

国際オリンピック委員会（IOC）自身もオリンピックをやるたびに、開催国でお金の問題が出てくるので、そのあたりを浄化する取り組みをしてきたとは思うのですが、やはりこれまで問題をあいまいなまま放置しすぎましたよね。

長野で行われた冬季オリンピックの時も、日本は大会を招致するにあたって、各国のオリンピック委員を日本に呼んで接待をするなど、相当いろいろなことをやっています。しかもその後、会計帳簿などの書類は全て破棄されていたんです。そのために、検証ができませんでした。そういうことを許してきたからこそ、同じ問題を繰り返してしまうことになったのだろうと思います。

――1964年の東京オリンピックが、日本にとっての夢だったために、オリンピックが過剰に神聖視されてしまったのかもしれません。

池上　その通りですね。また様々な企業がお金を出して、大会の商業化が進みました。新聞社などのメディアも協賛金を出していますよね。

そもそもオリンピックを東京に招致する際に、当時の猪瀬都知事は、「（既存施設を利用するため）世界一お金のかからない」「コンパクト」なオリンピックだと言っていました。いったいその何倍かかったか、という話ですよね。やはりすべての支出をオープンにするということ、まずそれをやらなくてはだめですよね。

いずれまた札幌でもオリンピックをやりたいと思っているでしょうから、その時にどれだけお金の流れを透明化できるのかということが問われます。またオリンピックほどではないにせよ、様々なスポーツの国際大会をやる時に、お金が不自然に流れる可能性があるわけですよね。以前から何だかはっきりしない、不明朗だ、とみな漠然と思っていたところに、はっきりとメスが入ったということだと思います。

——やはりスポーツの商業化が進んでいますから、そこも改めて見直すべきタイミングだったということですね。

関東大震災から100年

——最後に、今年2023年は、関東大震災から100年です。日本にとって地震は常に最大の危機を起こす可能性をはらむ問題です。

池上　東日本大震災が起こってから10年が経ちました。その時の震源域、また北海道東部の根室沖でも、地震の起きる確率が高まっています。

そして、南海トラフ巨大地震も心配されています。元々、東海地震、東南海地震、南海地震とそれぞれの地域に分けていましたが、東日本大震災のときに震源の異なる３つの地震が連動して起こったことから、３つの震源域が連動して地震が起こる可能性を考え、南海トラフ巨大地震と名前を変えました。もちろん３つの地域に同時に地震が起こるとは限りません。ただ、地震が起きる前に避難計画を想定しておくことが求められています。

加えて、気象庁は「長周期地震動（ちょうしゅうきじしんどう）」についても、情報を出すことにしました。長周期地震動とは、ひとつの揺れの幅が長く、ゆったりしたもののことです。震源からかなり離れたところでも揺れ、特に高層ビルの上の階などでは揺れが大きくなります。

今年２月からは、緊急地震速報で大きな揺れがくるという情報のほかに、高層ビルでは長周期地震動により大きく揺れるなど、もうひとつの情報も伝わることになります。

100年の節目で、より地震に強い日本をどう作っていくのかということは、とても大きな課題だと思います。

第2部 国際情勢・基本おさらい編

第1章 ロシア・ウクライナ問題

月日	できごと
2月14日	アメリカ、ロシアによるウクライナ国境への軍備増強を批判
2月21日	ロシア、ドネツク人民共和国、ルガンスク人民共和国承認
2月24日	ロシア、ウクライナ侵攻、キーウなど空爆
2月26日	ロシア軍、首都キーウ侵攻
3月4日	ロシア軍、ザポロジエ原発を攻撃
3月7日	ロシア、日米など「非友好国」に指定
3月12日	ロシア大手7銀行、SWIFTから排除
4月8日	ロシア、ウクライナ東部の駅をミサイル攻撃、50人死亡
5月18日	フィンランド、スウェーデンがNATO加盟申請

ロシア・ウクライナの主なできごと

6月23日	ウクライナ、EU加盟候補国に
6月26日	G7サミット（ドイツ・エルマウ）
6月30日	サハリン2、ロシア政府が設立した会社に資産譲渡
7月11日	ロシア、ノルドストリームによるドイツへの天然ガス供給停止
8月30日	ミハイル・ゴルバチョフ元ソビエト連邦大統領、死去
9月30日	ロシア、ウクライナのルガンスク、ドネツク、ザポロジエ、ヘルソン州併合を宣言
11月14日	ウクライナ、南部ヘルソン州奪還を宣言
11月15日	ポーランドにウクライナの迎撃ミサイルと見られるミサイル落下
11月15日	G20サミット（インドネシア・バリ）

ウクライナ周辺図と難民の数

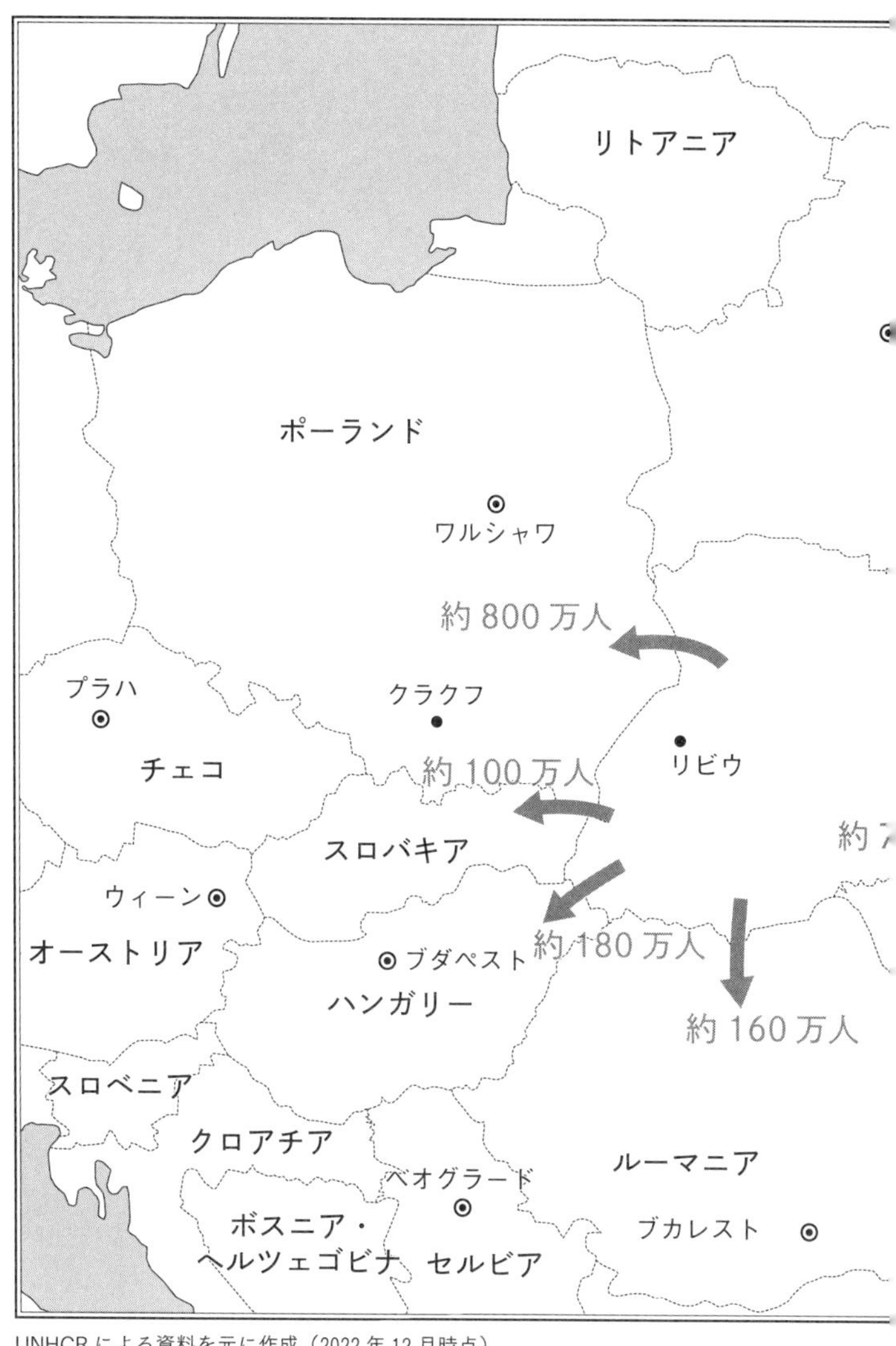

UNHCRによる資料を元に作成（2022年12月時点）

ウクライナ地図

ロシア軍が支配している
とされる地域
(2022 年 12 月時点)
チェルニヒウ
ロシア
ハリコフ
ドニプロ（ドニエプル）川
ルガンスク州
ルガンスク
ドニプロ
ドネツク州
ドネツク
ザポロジエ
マリウポリ
ザポロジエ州
ヘルソン
ヘルソン州
セバストポリ

アメリカ・戦争研究所による資料を元に作成

Q ウクライナとはどんな国ですか？

A 豊かな穀倉地帯です。昔はロシアと同じ国で、ソ連崩壊で独立しました。

ロシアは東欧のウクライナの国境沿いに大軍を配備し、ウクライナ国内のロシア系住民のいる場所を「国家」として認めると発表。さらにウクライナを攻撃しました。ロシアは伝統的にウクライナを「自分の仲間」と考えていて、西欧の仲間になるのを阻止しようとしているのです。

昔は同じ国

今でこそロシアとウクライナは別の国ですが、1991年にウクライナが独立を果たすまで、両国はソ連（ソビエト社会主義共和国連邦）というひとつの国の一部でした。

ソ連は、国名通りに「連邦」という形をとっていました。ロシアやウクライナなど15の「共和国」が一緒になって連邦国家を形成するというものです。

この感覚が、日本にいるとよくわかりませんね。建前（たてまえ）としては、それぞれが「国家」なのですが、実際は、いずれもソ連共産党の支配を受け、自由がありませんでした。

ところが、ソ連が政治的にも経済的にも行きづまって91年に崩壊し、ロシアもウクライナも、別々の国として、今度は本当に独立を果たしました。ロシアのプーチン大統領は、これが悔しいのです。「ロシアもウクライナも兄弟のような関係だ」と思っているからです。

「ロシア」のルーツ

今のウクライナの首都キーウのあたりは、９世紀にルーシという国がありました。これが現在のロシアの国名のルーツになったといわれています。ロシアは、やがて東に広い領土を持つようになりましたが、「もともとは同じ国だった」という思いを持つロシ

ウクライナの小麦畑

ア人も多いのです。

ウクライナの国旗は、上が青で下が黄色の2色。青は青空、黄色は小麦畑をイメージしています。とても土地が豊かで、小麦が大量に取れるのです。豊かな土地のため、周辺の国々は、この土地を欲しがります。17世紀には、国の東半分はロシア、西半分はポーランドが占領します。

その結果、東側にはロシア人が住みつきました。ロシア語を話し、宗教はロシア正教です。

一方、西側の人たちは、ウクライナ語を話し、宗教はウクライナ正教の人もいますが、カトリックの人も多いのです。どちらの言葉もキリル文字という独特の文字を使いますが、違う言葉なのです。

ロシアはその後、革命が起きてソ連に変わり、ウクライナも占領されてしまいますが、西部には「独立したい」という願いを持った人たちがいました。ソ連が崩壊したことで、独立の夢がかなったのです。

ウクライナが独立を果たすと、「自分たちは欧州の一員だ」と考える人たちは、欧州連合（ＥＵ）や、北大西洋条約機構（ＮＡＴＯ）という軍隊のグループに入ろうとします。

ところがプーチン大統領は、ウクライナのこうした動きは「裏切りだ」と考えます。もしウクライナがＮＡＴＯに入ると、ＮＡＴＯに入っているほかの国（たとえばアメリカ）の軍隊がウクライナに駐留するようになります。プーチン大統領は、そうなったらロシアの安全が脅（おびや）かされると恐れているのです。そこで、「ウクライナがＮＡＴＯに入ったら許さないぞ。ＮＡＴＯに入らないと約束しろ」と、軍隊を使って侵攻したのです。

Q ロシアに対して、国連は無力なのでしょうか？

A ロシアは強力な「拒否権」を持ち、国際司法裁判所を無視しています。
また国際刑事裁判所には非加盟です。

ロシア軍の攻撃で、子どもたちが亡くなったり、多くの家族が隣国に逃げたりしているウクライナ。国際連合（国連）は何をしているのかという声を聞きます。当然の疑問ですが、ロシアは国連の中で強い力を持っているため、やめさせられないのです。

世界平和を守る

国連は、第二次世界大戦後、世界の平和を守る組織として発足しました。もし戦争が起きたりしたら、被害を受けた国が国連に訴えると、安全保障理事会（安保理）が緊急会合を開いて、「戦争をやめなさい」と決議できる仕組みになっています。

安保理は15カ国で構成されていますが、常任理事国と非常任理事国に分かれています。常任理事国は5カ国で、ずっとメンバーでいられます。一方、非常任理事国は10カ国で任期は2年。5カ国が毎年入れ替わります。

決議をするためには、15カ国のうち9カ国以上の賛成が必要です。でも、たとえ9カ国以上の賛成があっても、常任理事国のうちの1カ国でも反対すると、決議は採択されません。これを「拒否権」といいます。

ロシアがウクライナに攻め込んだときにも安保理が開かれ、「ロシアは戦争をやめなさい」という決議案が出たのですが、常任理事国のロシアが反対したために採択されませんでした。

常任理事国に特別な権限があるのは納得できないという声もありますが、そもそも国連は、常任理事国の5カ国が中心になって結成された組織なのです。

第二次世界大戦で、日本やドイツ、イタリアなどの「枢軸国（すうじくこく）」に対抗して、アメリカやイギリス、フランス、ソ連（今のロシアなど）、中国の5カ国などが「連合国」として戦いました。この連合国が中心になって、戦後、二度と戦争が起きないようにしようと国連を結成しました。当時の中国は、中華民国でしたが、現在は中華人民共和国に代わっています。

この5カ国が中心になってできた組織なので、5カ国が全員賛成しないとダメ、というルールを作ったのです。

このため、自分にとって不利な決議案が提出されると、拒否権を使う国があるのです。でも、それでは国際紛争が解決できないではないかと考えられて、二つの国際的な裁判所が設立されました。「国際司法裁判所」と「国際刑事裁判所」で、どちらもオランダのハーグにあります。

戦争犯罪を裁く裁判所

このうち国際司法裁判所の役割は、「国と国との争い」を判断する裁判所です。今回はロシアに対し、「戦争をやめなさい」と言ったのですが、ロシアは裁判所に出てこな

国際刑事裁判所

いで、決定を無視しています。結局、それ以上のことはできないのです。

一方、国際刑事裁判所は個人の戦争犯罪を裁きます。ロシアのプーチン大統領を「戦争犯罪人」として裁くために逮捕状を発行することができますが、ロシアは刑事裁判所条約に入っていないので、逮捕できないのです。将来、プーチン大統領が刑事裁判所条約に参加している国に入ったら逮捕されますが、ロシア国内にいる限り、手が出せません。

大統領をやめさせることができるのは、その国の国民。ロシア国民が決めることなのです。

Q 戦争をとめる「コスト」はどれくらいかかるのでしょうか?

A 世界の国々は大規模な戦いを避けて、ロシアに対して制裁を加えていますが、長期間にわたり、影響は広範囲に広がりそうです。

ウクライナに侵攻したロシアに対し、世界は経済制裁を打ち出しましたが、その結果、電気代が値上がりしたり、食料不足におちいったりする国が出てきます。これは「戦争をやめさせるためのコスト」なのでしょう。

燃料、パンが値上がり

ロシアのウクライナ侵攻を、どうすればやめさせることができるのか。ほかの国がロシアを攻撃したら、大規模な戦争になってしまいますから、それはできません。その代わりに世界の国が選んだのが経済制裁です。「制裁」とは「お仕置き」のこと。経済的に困った状態に追い込み、戦争をやめさせようということです。ロシアの製品を買うのをやめようということです。

ロシアは石油や天然ガスを大量に輸出してお金を稼いでいます。そこでヨーロッパを中心に、「石油や天然ガスを買うのをやめよう」という動きが広がっています。でも、その場合はどこから石油や天然ガスを買えばいいのか。結局は中東です。

中東の石油や天然ガスを欲しがる国が増えれば、それだけ石油や天然ガスの値段も上がります。日本の火力発電は石油や天然ガスを燃料にしていますから、電気代が値上がりします。暑くなるとエアコンを使う家庭が増え電気代も上がるのです。

先述したようにウクライナの国旗は、上半分が青で下半分が黄色。これは、「青空の下の小麦畑」を表しています。それだけ小麦がたくさんとれ、世界に輸出しています。その点ではロシアも同じ。これまでは小麦をたくさん輸出していましたが、戦争で輸出できなくなりました。ウクライナとロシアの２カ国で世界の小麦の約３割をまかなってきましたから、輸出できなくなれば、その分をどこかから買うしかありません。世界中

ノルドストリーム2のガスパイプライン

で小麦の値段が上がっているのです。

日本でも、これからパンやうどん、お菓子などの値段が上がるでしょう。さらにウクライナはトウモロコシも大量に輸出してきましたが、今後は望み薄。トウモロコシはブタなどの家畜のエサとして使われますから、エサ代が高くなり、豚肉や牛肉の値段も上がるでしょう。

肥料もピンチ

食料不足は肥料の面からも深刻になりそうです。というのも、肥料の三要素は何でしたっけ。そう、窒素(ちっそ)、リン酸、カリウムです。日本はロシアからカリウムを買っていますので、これが手に入らなくなると、農作物の成長に大きな影響が出てしまいます。

どうでしょう、ロシアを経済制裁して、「モノを買わない」としていると、ほかの国に悪い影響が出てしまうのです。とりわけアフリカ北部では、小麦のほとんどを輸入していますから、パンの代金が急上昇したことで、大勢の人が困っています。怒ってデモをしたり、集会を開いたり。国内が不安定になっている国もあります。

今回の経済制裁は、ロシアのプーチン大統領に戦争をやめさせるのが目的ですが、効果が出るには時間がかかります。その間、電気代もパンの代金も値上がりしてしまう。「戦争をやめさせるためのコスト」と考えて、我慢するしかないのです。

▼NATOとは?

北大西洋条約機構(North Atlantic Treaty Organization)は、1949年に設立された西側諸国の軍事同盟です。本部はベルギー・ブリュッセル、現在の代表はストルテンベルグ事務総長(元ノルウェー首相)です。設立当初の加盟国は12カ国でしたが、1999年にチェコ、ハンガリー、ポーランドが、2004年にはバルト3国やルーマニア、2020年には北マケドニアが加わり、現在30カ国が加盟しています。2022年のロシアによるウクライナ侵攻で、フィンランドとスウェーデンが加盟を申請しました。

▼池上先生の、ここがポイント!

◎東西冷戦時代、西欧各国は、ソ連や東欧の軍隊が侵略してきたら大変だという危機感を募らせ、北大西洋の対岸のアメリカを仲間に引き込みました。

◎加盟国が攻撃を受けたら、全加盟国が「自国が攻撃を受けたと同じこと」と考えて共同で反撃するという「集団安全保障」の組織です。

◎冷戦後はヨーロッパ全体の安全に責任を持つという意識が高まり、結果的に東欧諸国も加盟したことで、プーチン大統領が危機感を持つことになりました。

NATO に加盟する 30 カ国

▼COPとは？

国連気候変動枠組条約締約国会議（Conference of the Parties）のことで、地球温暖化防止について、198の国と地域が話し合います。2022年は第27回目の会議が11月にエジプトのシャルム・エル・シェイクで行われました。

2015年には、地球の平均気温の上昇を産業革命前と比べて2度未満に抑えるという「パリ協定」を締結、2021年のCOP26では、目標をさらに進めて1・5度にすることを決めました。しかし、ロシアによるウクライナ侵攻で、ロシアがヨーロッパ向けのエネルギーを制限、ドイツが石炭火力発電所を再稼働させるなど、世界では温暖化防止に逆行するような流れが起きています。

COP27合意のポイント

- 気候変動で途上国に生じた「損失と被害」の支援基金を設立。運営細則を来年決める
- 気温上昇を1.5度に抑えるパリ協定の目標達成へさらに努力
- 各国に1.5度目標に沿った排出削減の強化は求めず、化石燃料の段階的廃止など強い対応は見送り
- 再生可能エネルギー導入を加速すべきだとの認識を共有。失業対策など「公正な移行」を重視
- 排出削減加速のための作業計画を策定

COP27で演説する国連のグテーレス事務総長

▼池上先生の、ここがポイント！

◎「気候変動」とは、人間の経済活動で地球の気候が変わってしまうことを意味します。自然現象の場合は「気候変化」と呼んでいます。

◎COP26で決めた目標に向けて各国が独自の計画を提出していますが、これらを合わせても目標には届かないという現実があります。

◎ロシアの石油や天然ガスに頼らないで済むようにするためには再生可能エネルギーの導入が急務ですが、なかなか困難なのが現実です。

▼ミハイル・ゴルバチョフ氏とは？

1931年生まれ、2022年8月30日に死去しました。1985年にソビエト共産党の書記長になり、「ペレストロイカ（改革）」を推進、「グラスノスチ（情報公開）」など、自由化・民主化に舵を切りました。アメリカとはレーガン大統領と、INF（中距離核戦力）全廃条約を結び、核軍縮を進めました。1990年に、ソビエト連邦の大統領に就任しますが、翌年のクーデターにより失脚。エリツィン氏が鎮圧しますが、その後ソビエト連邦が崩壊する原因となりました。エリツィン氏はロシア連邦の大統領を1999年までつとめ、プーチン大統領がその後を継ぎました。

ゴルバチョフ元ソ連大統領

INF全廃条約に調印するソ連・ゴルバチョフ書記長（左）とアメリカ・レーガン大統領

▼池上先生の、ここがポイント！

◎ゴルバチョフ氏がソビエト共産党の書記長というトップに立ったとき、ソビエトは社会主義経済が行き詰まり、危機的状況でした。

◎ゴルバチョフ氏は情報公開を進めてソビエトの窮状を国民に知ってもらおうとしましたが、かえって国内が混乱。ソビエト崩壊につながりました。

◎私はモスクワでインタビューしたことがあります。ソビエトがロシアになっても、民主化への希望を持っていました。死の直前、ウクライナ侵攻を非難していました。

第2章　アメリカと中国

アメリカに関連する主なできごと

月日	できごと
2月25日	連邦最高裁判事に、ジャクソン氏指名、黒人女性として初
5月22日	バイデン大統領来日、日米首脳会談
6月24日	連邦最高裁、中絶の保障を覆す判決
6月25日	銃規制強化法が成立
8月8日	FBIがトランプ元大統領の自宅を捜索、機密文書押収
8月16日	中間選挙の予備選で、リズ・チェイニー下院議員（ワイオミング州）敗退
11月8日	中間選挙
11月15日	トランプ氏、2024年の大統領選挙に出馬を表明
12月7日	ジョージア州での上院選決戦投票で民主党候補が勝利

ヨーロッパに関連する主なできごと

月日	できごと
2021年12月8日	ドイツ、オラフ・ショルツ首相就任
4月24日	フランス、マクロン大統領再選、右派ルペン氏も得票のばす
6月21日	ウィーンで、核兵器禁止条約第1回締約国会議
7月7日	イギリス、ジョンソン首相、コロナ下パーティー参加批判で辞任
9月6日	イギリス、リズ・トラス首相就任
9月8日	イギリス、エリザベス2世、死去
10月22日	イタリア、ジョルジャ・メローニ首相就任
10月25日	イギリス、リシ・スナク首相就任
11月6日〜20日	第27回国連気候変動枠組条約締約国会議（COP27）開催

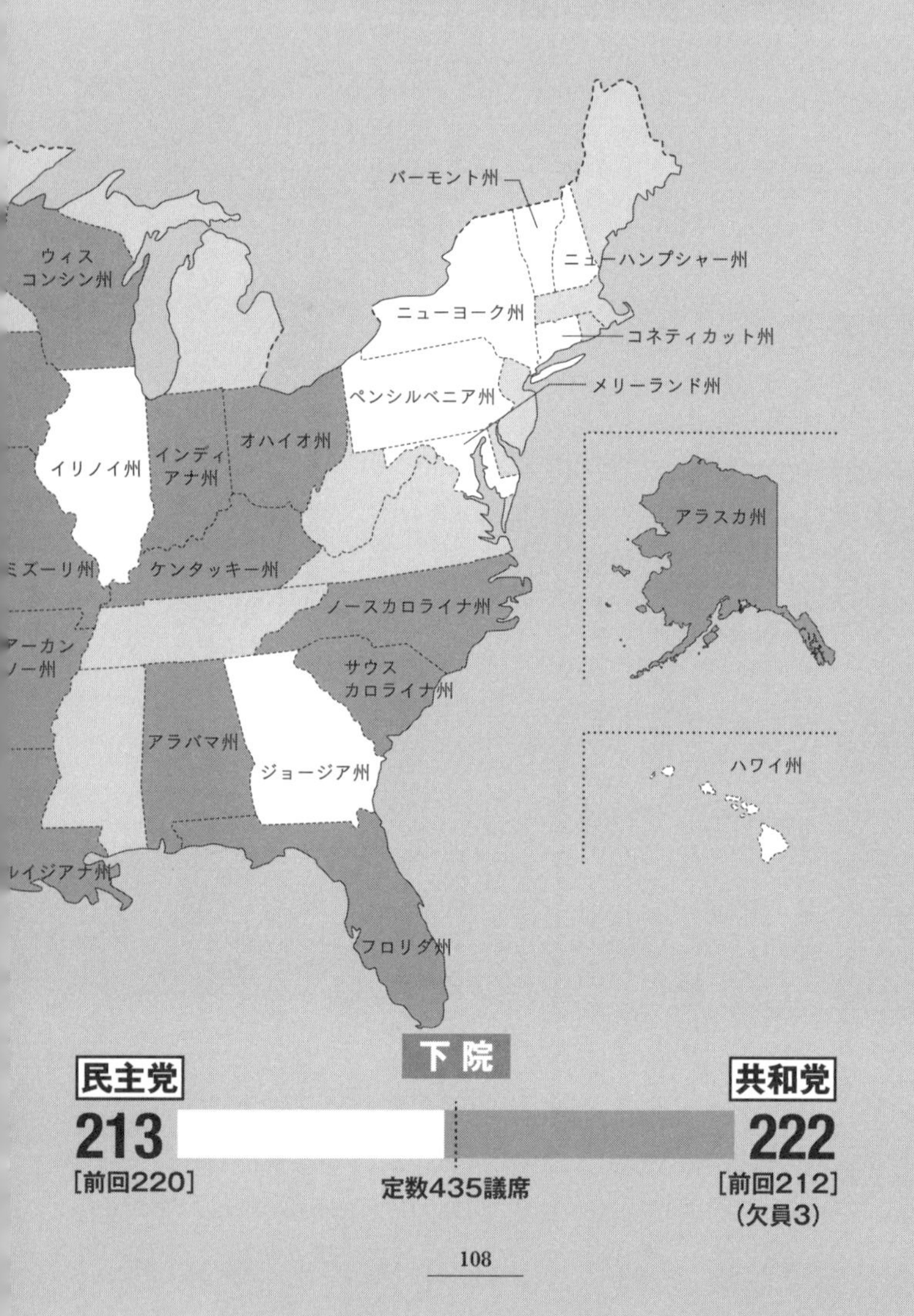
2022年12月7日現在
バーモント州
ウィス
コンシン州
ニューハンプシャー州
ニューヨーク州
コネティカット州
メリーランド州
ペンシルベニア州
オハイオ州
インディ
アナ州
イリノイ州
アラスカ州
ミズーリ州
ケンタッキー州
ノースカロライナ州
サウス
カロライナ州
アラバマ州
ハワイ州
ジョージア州
フロリダ州
下 院
民主党
213
[前回220]
定数435議席
共和党
222
[前回212]
(欠員3)

アメリカ中間選挙　上院の結果

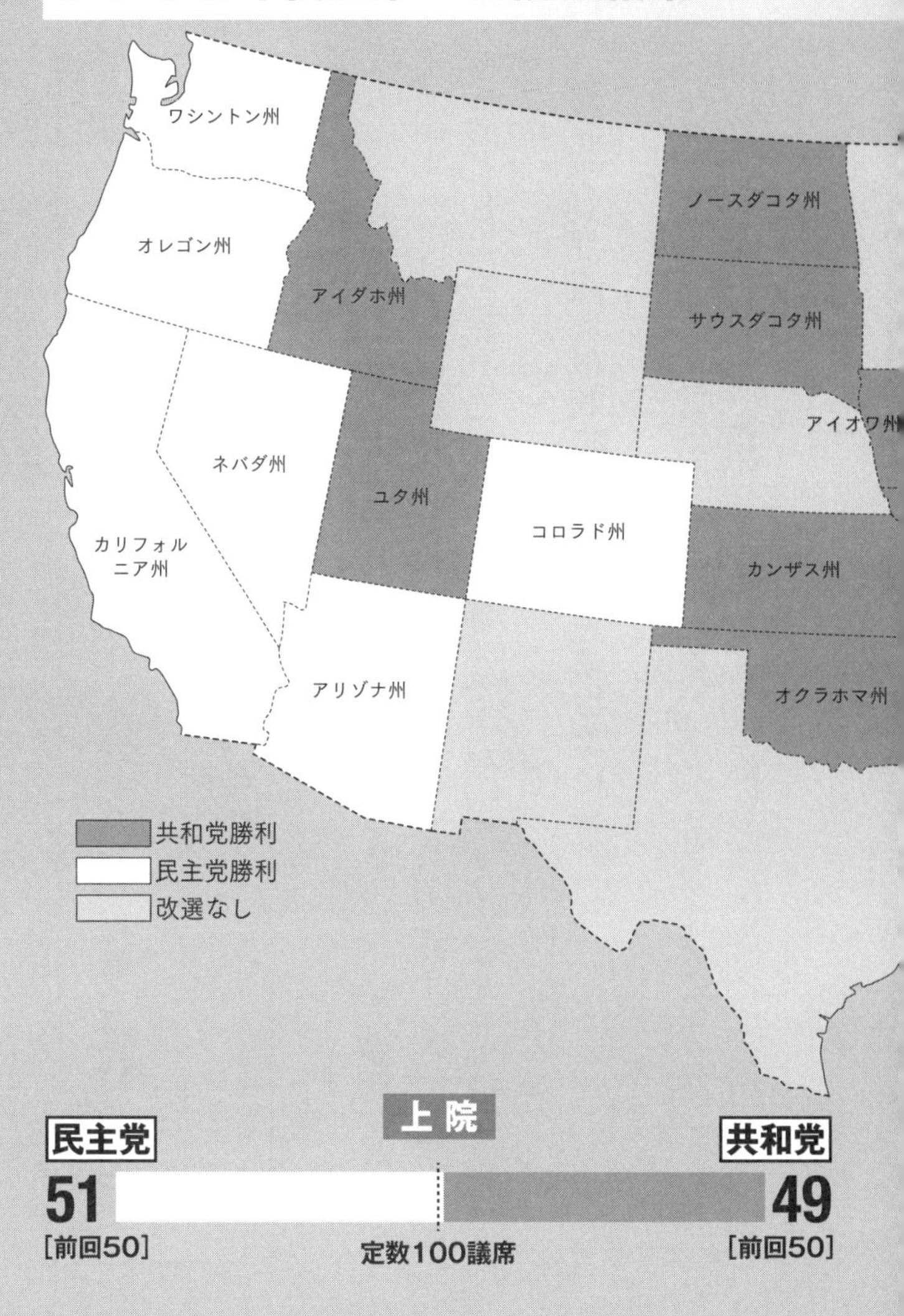

上院

民主党		共和党
51	定数100議席	49
[前回50]		[前回50]

Q アメリカで中間選挙が行われました。トランプ氏の影響力は依然残っているのでしょうか？

A 批判する者を許さず、〝復讐〟が続きました。

アメリカの中間選挙が昨年11月に行われましたが、事前に、共和党の候補者選びがあり、ドナルド・トランプ前大統領が応援する候補者が次々に選ばれました。日本だと選挙の候補者としては現職が優先的に選ばれがちですが、アメリカはそうではないのです。

反トランプ議員が敗北、現職優先ではない

アメリカ・ワイオミング州の共和党の予備選挙で、トランプ前大統領を厳しく批判してきたリズ・チェイニー下院議員が、トランプ氏の支持を得た候補者に敗れるというニ

ュースがありました。

チェイニー氏は、２０２１年1月、当時大統領だったトランプ氏の支持者たちがアメリカ連邦議会議事堂に乱入した事件について、トランプ氏の言動を厳しく批判してきました。当時、支持者たちは、トランプ氏が「自分が選挙に勝った」と主張していることを信じ、選挙結果をくつがえそうと議事堂に突入。結果として5人の死者を出す事件になりました。

リズ・チェイニー氏

チェイニー氏は、トランプ氏の主張はウソで、支持者が議事堂に突入するのを止めようとしなかったと批判したのです。

これに対し、トランプ氏は「チェイニーは許せない」と怒り、チェイニー氏が11月の中間選挙に出られないように、自分を支持する候補を立てたのです。

中間選挙は、4年ごとに行われる大統領選挙の間にあるので「中間」といいます。中間選挙では、下院議員全員と上院議員の3分の1を選び直します。日本の衆議院議員は任期が4年ですが、アメリカの下院議員は任期が2年だからです。

また上院議員は日本の参議院議員と同じく任期6年ですが、2年ごとに選挙があるので、3分の1ずつ選び直すのです。

日本の選挙の場合、現職議員がいれば、その人が次の選挙でも、その政党の公認候補として立候補するのが一般的です。

ところがアメリカは、民主党も共和党も、それぞれの選挙区で誰を公認候補にするか、選挙のたびに党内で選挙をして選んでいるのです。チェイニー氏は現職の下院議員でしたが、誰を候補にするかという予備選挙で負けてしまったのです。

〝復讐〟続く

2021年1月の議事堂襲撃事件を受けて、連邦議会の下院ではトランプ氏を「弾劾(だんがい)」、つまり辞めさせようという動きがありました。これは民主党が主導しましたが、トランプ大統領の与党だった共和党からも10人の議員が賛成しました。トランプ氏は、これを「裏切りだ」と考え、10人の議員について「次の選挙に出られないようにしてやる」と〝復讐〟を誓いました。そして、予備選挙で、それぞれの選挙区で自分を支持する候補を立てたのです。

その結果、10人のうち４人は立候補を断念。別の４人はチェイニー氏のようにトランプ支持派に敗れ、中間選挙に共和党候補として立候補できるのは２人だけになりました。

共和党内では、いまもトランプ氏の支持者が多いのですね。

でも、本番の11月の選挙で投票するのは一般の有権者。トランプ氏のことを嫌っている有権者もいて、もともと共和党が強いところでは共和党候補が勝ちましたが、そうでないところはトランプ氏が応援した候補者は負けてしまい、共和党内で「トランプ氏では共和党は勝てない」という声が出てきています。

Q アメリカ中間選挙、勝ったのはどちらでしょうか？

A 上院議員選挙は民主党、下院議員選挙は共和党でした。

４年ごとの大統領選挙の間に実施される中間選挙は上院議員選挙では民主党が勝ちましたが、下院議員選挙は共和党が勝ち、議会が「ねじれ」になりました。当初言われていたほどには民主党は負けませんでしたが、バイデン大統領にとっては、仕事がやりにくくなりそうです。

大統領選挙の間なので中間

日本の国会に衆議院と参議院があるように、アメリカの議会にも下院と上院の２つがあります。日本の衆議院の任期は４年ですが、アメリカの下院議員４３５人の任期は２

年。上院議員１００人の任期は６年です。

先ほども述べたように、大統領の任期は４年なので、選挙は４年ごとに実施されますが、下院の任期は２年ですから、大統領選挙と同時に実施されると共に、２年後にも行われます。大統領選挙の間に実施されるので「中間選挙」といいます。また上院議員は下院議員の選挙に合わせて３分の１ずつ改選されます。

今回の選挙では、事前の大半のメディアの予測では「下院は共和党が圧勝し、上院は接戦」というものでした。

しかし、実際には下院はたしかに共和党が多数になりましたが、その差はわずかで、上院は民主党が勝ちました。メディアの予測は、なぜ当たらなかったのでしょうか。

物価高で大統領が批判されたが

共和党が圧勝するという予測が生まれたのは、アメリカで物価高が進んだからです。

私は中間選挙の取材でアメリカ各地を回りましたが、あらゆるものが値上がりしていま

2024年大統領選への出馬を表明するトランプ前大統領

した。アメリカ国民は物価高に困っています。

こういうときには、現職の大統領への不満が高まります。今のバイデン大統領は民主党ですから、選挙で多くの有権者が「民主党でなくて共和党の候補者に入れよう」という動きが出るだろうと予測したのです。

トランプ前大統領が嫌われた？

しかし、事前の予測ほどには共和党が伸びませんでした。その理由のひとつは、投票日前にトランプ前大統領が共和党の候補者の応援演説のために全米を飛び回ったからです。もし共和党が大勝したら、トランプ前大統領が「共和党が勝ったのは自分のおかげだ」と言って、２年後の大統領選挙に出てくるだろうと考えた人たちが多かったのです。実際に投票が終わったら、立候補を宣言しました。

トランプ前大統領には熱烈なファンもいますが、その反対に大嫌いな人も多いのです。「もし共和党が勝ったら、トランプ前大統領はすっかり調子に乗るだろう」と心配した人たちが、民主党の候補者に投票したと見られています。

つまり、民主党が勝ったというよりは、トランプ前大統領の共和党が負けたのです。

とはいえ、下院は共和党が多数になりましたから、バイデン大統領が望むような予算案ができるかどうか、わかりません。また、新たな法律を作るためには上院と下院の両方が認めなければなりません。上院は民主党、下院は共和党と「ねじれ」が起きると、法律を作るのはむずかしくなります。果たしてそれができるのか、世界が注目しています。

▼中絶に関する連邦最高裁判決とは？

　１９７３年、アメリカで女性の人工妊娠中絶を個人の権利のひとつとして認める判決が出ました。これを覆（くつがえ）す判決が２０２２年６月に、連邦最高裁判所で出されました。

　裁判では、中絶を禁止するミシシッピ州の州法が憲法に違反するかどうかが争われ、結局合憲とされました。これにより、人工妊娠中絶を禁止する法律がある州では中絶ができなくなります。中絶に反対する保守派は歓迎する一方、中絶を望む側からは、中絶可能な州まで女性が移動しなくてはならないことに反発する声が上がっています。

連邦最高裁前でプラカードや横断幕を掲げる人工妊娠中絶擁護、反対両派の人たち

ワシントンDCで、人工妊娠中絶の権利を訴え、連邦最高裁に向けて行進する人々

▼池上先生の、ここがポイント！

◎トランプ前大統領時代に保守派の裁判官を送り込んだことで、「憲法が中絶の権利を認めている」という過去の判決を覆してしまいました。

◎中絶の是非は各州の州議会が決めることだというのが、新たな最高裁判決。これにより各州で賛否が激しくなりました。

◎「女性の権利が奪われてしまった」と受け止めた女性たちも多く、中間選挙では中絶の権利を容認する民主党に投票。民主党が善戦することになりました。

▼アメリカ連邦議会議事堂襲撃事件とは？

２０２０年に行われた大統領選挙の結果に不満を持ったトランプ大統領（当時）の支持者が２０２１年１月６日に、アメリカの連邦議会議事堂におしかけた事件です。この時、議会では投票の結果を正式に集計する上下両院合同会議が開かれていました。バイデン氏の勝利を認めないトランプ氏は、６日にワシントンに集まるよう支持者に呼び掛けており、数千人にふくれあがった支持者は議事堂になだれ込みました。このため、議事堂の敷地では銃撃も発生。警察官ひとりを含む５人が亡くなるという前代未聞の事件になりました。翌７日、バイデン氏が正式に大統領になりました。

アメリカ連邦議会議事堂を取り囲むトランプ氏の支持者たち

議事堂の前につめかけたトランプ氏の支持者たち

▼池上先生の、ここがポイント！

◎アメリカにとって連邦議会は、民主主義を象徴する重要な場所。そこでの暴力行為は衝撃的でした。

◎襲撃の最中、トランプ大統領の側近は、大統領に対し、支持者に暴力を止めるよう声明を出すべきだと説得しましたが、大統領は応じませんでした。

◎襲撃事件にトランプ大統領が関与していたかどうか、議会での調査が続いています。

▼スナク・イギリス新首相はどんな人?

リシ・スナク氏は、1980年生まれ。両親はインド系で、オックスフォード大学を卒業後、金融機関勤務を経て、2015年に下院議員になりました。

ジョンソン政権では財務相を務めました。ジョンソン氏が不祥事で辞任後、2022年7月の保守党の党首選挙に立候補しますが、リズ・トラス外相に敗れます。しかしトラス首相が、経済政策の混乱で、就任後1カ月半で10月に辞任すると(イギリス史上最も短命な政権)、再度保守党党首選挙に立候補。ほかに立候補者がおらず、新首相に就任しました。インド系としては、初のイギリス首相となりました。

辞意を表明するトラス前首相

スナク首相

▼池上先生の、ここがポイント！

◎イギリスで初の非白人の首相が誕生しました。しかも史上最年少の首相。イギリスの政権与党である保守党は、フレッシュな人物に今後を託(たく)したのです。

◎妻はインドの大金持ちの令嬢で、夫婦合わせた資産は日本円で約１２００億円と英国の女王より多いそうです。

◎その手腕に期待する人も多いのですが、「金持ちに庶民(しょみん)の気持ちがわかるのか」という声もあります。

▼韓国の新大統領は？

尹錫悦（ユンソンニョル）大統領

1960年、韓国・ソウル生まれ。1994年に検事になり、2019年、文在寅（ムンジェイン）大統領に検事総長に抜擢（ばってき）されます。しかし大統領に近い人物を追及して政権と対立。2022年3月に、保守系野党の「国民の力」から大統領選挙に出馬します。与党「共に民主党」の李在明（イジェミョン）候補をわずかな差で破り、2022年5月、第20代大統領に就任しました。

▼池上先生の、ここがポイント！

◎検事出身とあって、前政権の不正の追及に乗り出し、与野党の対立が深まっています。

◎日本との関係を改善しようという強い意欲を見せていますが、韓国内では反対の声もあり、先行きは不透明。

◎北朝鮮に対し強硬な態度で臨んでいることで北朝鮮が反発。南北間の緊張が高まっています。

▼イタリアの新首相は？

ジョルジャ・メローニ首相

１９７７年、イタリア・ローマ生まれ。15歳の時に極右政党の「イタリア社会運動」の青年組織に入ります。２００８年にベルルスコーニ政権で若者政策を担当する大臣に。その後２０１２年に「イタリアの同胞（ＦＤＩ）」を創設し、２０２２年９月の総選挙でＦＤＩが第一党に。イタリア初の女性首相となりました。

▼池上先生の、ここがポイント！

◎幼い頃に父親が失踪し、母子家庭で育ち、高校卒の学歴がない中で地方議員からのし上がった苦労人。

◎かつてのイタリアのファシスト政権を評価し、「イタリア・ファースト」の極右政治家と批判を受けています。

◎首相になる前はロシアのプーチン大統領との親密な関係をアピールしていましたが、首相就任後はウクライナを支援すると表明しました。

▼ブラジルの新大統領は？

ルイス・イナシオ・ルラ・ダシルバ（ルラ）大統領

１９４５年、ブラジル北東部のペルナンブコ州の貧しい農家に生まれ、１９７５年に労働組合の委員長に。２００３年には大統領となり、２期８年間務めました。しかし退任後に汚職事件で逮捕され、２０１８年に有罪が確定。ボルソナロ氏が大統領になりますが、新型コロナ対策などを軽視し、昨年の大統領選でルラ氏が勝利しました。

▼池上先生の、ここがポイント！

◎貧しい育ちの経験から「貧しい人たちのための政治」を訴え、以前の大統領時代は高い人気を誇りました。

◎ボルソナロ氏はアマゾンの開発を進め、環境保護団体から批判を受けました。ルラ大統領はアマゾンの保護を主張しています。

◎庶民の期待に応えようとするため、「ポピュリスト政治家」との批判もあります。限られた財源の中で格差是正をどう進めるか、課題は山積みです。

▼イスラエルの新首相は？

ベンヤミン・ネタニヤフ首相

１９４９年、テルアビブ生まれ。１９８８年に国会議員になると、１９９３年に右派「リクード」党首に。１９９６〜１９９９年、その後２００９〜２０２１年に首相を務めます。２０２１年６月に退陣し、ベネット氏らの連立政権となりますが、２０２２年11月の総選挙で「リクード」と極右政党が協力、首相に返り咲きました。

▼池上先生の、ここがポイント！

◎イスラエルには多数の政党があり、単独では政権を獲得できないため、いつも連立政権になります。

◎パレスチナに対する態度により、保守強硬派と穏健左派に分かれますが、ネタニヤフ氏は保守強硬派です。

◎パレスチナに対して強硬な態度をとることが予想され、パレスチナ側の反発は必至です。中東情勢は一段と不透明に。

Q **日中国交正常化から50年が経ちました。二国の未来は明るいのでしょうか？**

A **50年前には記念としてパンダが贈られましたが、二つの「中国」をめぐり、ブーム後には反感も起こりました。**

日本が国としてのお付き合いを中国と始めて50年が経ちました。最初は「これから仲良くなりましょう」と付き合いを始めたのですが、途中で仲が悪くなったりして、今もギクシャクした関係が続いています。

1972年、東京の上野動物園に中国からパンダの「カンカン」と「ランラン」がやってきました。日本はパンダブームにわきました。日本と中国が「国交正常化」を果たしたので、パンダはそれを記念した中国からの贈り物だったのです。

「国交正常化」とは、それまで日本と中国は「国交」、つまり国同士のお付き合いをしていなかったのを、改めたという意味です。それは、どうしてでしょう。

二つの「中国」

第二次世界大戦直後の中国は「中華民国」でした。国連に加盟していたのも中華民国でした。しかし戦後になって、中華民国の支配政党である国民党と、それをひっくり返そうとした毛沢東(もうたくとう)ひきいる中国共産党との戦争が、激しくなりました。これを「国共内戦」といいます。

その結果、国民党は敗れ、中国大陸から台湾に逃げ込んで「中華民国」としました。勝った共産党は、中国大陸で中華人民共和国の建国を宣言します。しかし、日本は中華人民共和国を認めず、中華民国と「日華平和条約」を結びました。

さて、では中国の人たちを代表するのは、中華民国か中華人民共和国か。国連では、どちらを「中国」とするか、毎年議論が行われてきました。その結果、１９７１年、国連総会で中華人民共和国を「中国」と認定しました。怒った台湾（中華民国）は国連を脱退します。

それまでアメリカは「中華民国」を「中国」だと言ってきたのですが、1972年、当時のニクソン大統領は、突然、中国を訪問し、中華人民共和国の方を中国と認めます。

これにあせったのが日本です。日本も中華人民共和国を認めるべきだという世論が盛り上がるのですが、一方で、「台湾との関係が大事だ。台湾を見捨ててはならない」という声もあったからです。

田中角栄(たなかかくえい)首相、訪中

そんな中で、1972年9月、当時の田中角栄首相は、中国を訪問し、国交を正常化したのです。当時、田中首相は「中国人1人に1本のタオルを売れば、8億本売れる」と言っていました。当時の中国の人口が8億人だったからです。つまり、中国との関係を正常化すれば、日本経済にプラスになると考えたのです。

これ以降、日本国内では中国ブームが巻き起こりました。中国国内でも「日本の経済

発展に学ぼう」というムードが高まりました。

その一方で、日中戦争について日本の政治家は反省していないのではないかと考える若者たちが、２００５年に激しい反日デモを起こしました。さらに２０１２年に日本政府が尖閣諸島（せんかくしょとう）を国有化したことに怒った人たちが日本料理店を襲ったりという激しいデモを展開しました。

これをきっかけに日本国内では中国に対する厳しい見方が増え、日本と中国との関係はギクシャクするようになりました。50周年を手放しで喜べない雰囲気になっているのです。

Q 中国式の民主主義とは何ですか?

A 中国共産党が権力を持ち、秘密を貫いて議論を認めていません。

2022年11月に、対面では初となるバイデン大統領と習近平主席の首脳会談がインドネシアのバリ島で行われました。中国は「中国には中国式の民主主義がある」と主張しました。アメリカと中国の民主主義は、どんな違いがあるのでしょうか。

共産党がすべてを決める

2021年3月には、アメリカと中国の外交責任者の会談が行われました。この会談でアメリカのブリンケン国務長官(外相)は、最近の中国が、新疆(しんきょう)ウイグル自治区のウイグル人を迫害したり、香港の民主化運動を弾圧したり、台湾周辺で軍事行動を活発化

2022 年 10 月に発表された中国共産党の新しい中央政治局常務委員

させたりしていると批判しました。これに対して中国の楊潔篪（ようけつち）共産党中央政治局員（当時）は「中国には中国式の民主主義がある」と反論しました。

　アメリカは政府の国務長官なのに、中国はなぜ中国共産党の政治局員が出てくるのか、と思いませんか。中国にも政府の外相がいるのですが、それより共産党の政治局員の方が、はるかに強い立場にあるからです。中国は、共産党が絶対的な力を持っていて、共産党がすべてを決めているからです。ということは、「中国式の民主主義」とは、中国共産党がすべてを決める体制のことだとわかります。

　中国は、「アメリカに民主主義についてお説教されたくない」と反発しました。たしかにアメリカでは黒人差別の問題が続いています。トランプ前大統領の支持者が議会に突入する事件も起きました。中国にしてみれば「人の国の中の問題に注文をつけるな」というわけです。

問題は「人の国の中のことは他国に言われたくない」ということが通用するか、です。新疆ウイグル自治区の問題は、たしかに中国の国内の問題です。でも、ここでは、中国共産党が「共産党の言うことを聞かない」と判断した人を、次々に強制収容所に入れていると伝えられています。ウイグル人には子どもを産ませないようにしているとも言われています。これが本当なら重大な人権問題ですから、他国が口を出すのは当然です。

中国は「それはウソだ」と主張しますが、海外のメディアに自由に取材させようとはしません。ウソだと言うのなら全部見せればいいのに、それをしようとしないのですから、信頼できません。

アメリカ式も万能ではないが……

アメリカにもいろいろな人権問題があります。でも、アメリカは、それを隠そうとはしません。外国のメディアにも自由に取材させています。そして、問題を解決しようとしています。ここが中国と異なるところです。中国共産党が言う「中国式民主主義」とは、中国共産党の指示や命令に従うことをいいます。香港も中国国内の一地方だから共産党に従うことは当然だ、というわけです。

また、台湾も中国に言わせれば中国の一部。アメリカは台湾に武器を輸出していますが、そんなことをしたら、将来中国が台湾を武力で統一することが難しくなります。だから口を出すなと言うのです。

アメリカや日本にとって、民主主義とは、抱えている問題をオープンに議論できる政治の仕組みです。そこが中国と違うのです。

Q 習近平主席の「一帯一路」構想とは何ですか?

A 陸と海に新たなシルクロードを築く構想です。

中国は南シナ海を「自分たちの海だ」という主張を強めて、それを行動で示しています。特に目立つのは、勝手な開発行為です。南沙諸島というベトナム、フィリピンにも近い海域で、海を埋め立てて人工島をつくり、さらにその上に、3000メートル級の滑走路をつくってしまったのです。

習近平国家主席は、中華民族の夢として「一帯一路」構想を提唱しています。これは、「陸と海に新たなシルクロードを築く」という考え方です。シルクロードとは、「絹の道」の意味です。中国産の絹を運ぶ、中国と地中海地域を結ぶ東西交易ルートでした。

かつて「明」の時代に中国は、広大な領土を持ち、南シナ海を支配していました。明がもっとも栄えた第三代の皇帝・永楽帝(在1402年~1424年)の時代に明の支配地域の拡大を目指して、鄭和（ていわ）を南シナ海に派遣し、大艦隊（だいかんたい）を編成して東南アジア、インド洋、アラビア海まで遠征し、朝貢（ちょうこう）をする国を増やすことを目指し、「海のシルクロード」を築きました。

南シナ海を支配した「明の栄光をもう一度」というのが習近平主席の「一帯一路」構想なのです。中国から中央アジア、ヨーロッパにいたる陸路の「シルクロード経済ベルト」と、中国から南シナ海やインド洋などを通る航路を確保する「21世紀海上シルクロード」を作る。沿海国を中心に道路、鉄道、港、発電所などを整備し、貿易の自由化を促進する。中国を中心とした新たな経済圏を作ることを目指しています。

なぜ中国は、南シナ海を中国の海と主張しているのでしょうか。それぞれの国の領土から、12海里（約22・2キロメートル）までを領海といいます。

南シナ海は、中国から離れており、領海とはいえません。しかし、中国は「明の時代から南シナ海を支配していたから、領海である」と主張しているのです。南シナ海は、中国だけでなく、ベトナム、フィリピン、マレーシア、インドネシアといった国々にも面した海であり、海上交通の要所といえる場所です。この海域を自国の管理下に置くことは軍事的にも大きな意味を持っています。中国が領海だと主張する南シナ海は地図で見ると、まるで〝牛の舌〟のように見えるため、「中国の赤い舌」と呼ばれるほどです。また、この海域には原油資源が埋蔵されており、中国は石油掘削施設の建設も始めています。

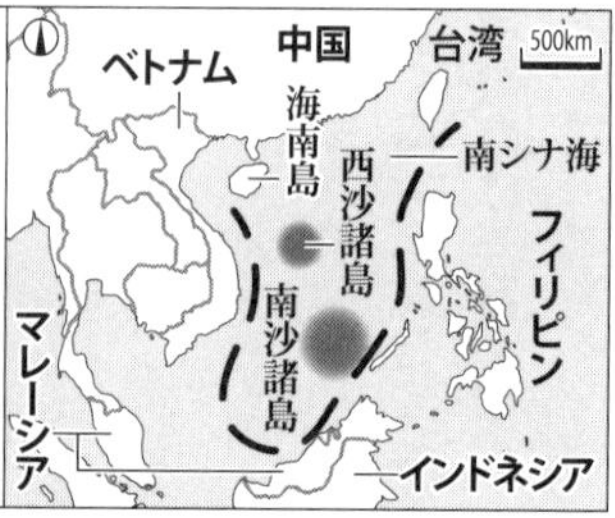

中国が権益を主張する九段線

この南シナ海の領有権を巡る中国の主張は、国連海洋法条約違反であることの確認を求めて、フィリピンがオランダ・ハーグの仲裁裁判所に申し立てを行いました。２０１６年７月12日、仲裁裁判所は、中国の主張は「法的根拠がない」という判決を下しました。フィリピンの主張を認めて、中国に国際法上はＮＯが突き付けられましたが、中国は無視しています。

中国が、「一帯一路」構想の実現を資金面でサポートするために設立したのが、「アジアインフラ投資銀行（ＡＩＩＢ）」です。中国が多額のお金を出して、先頭に立って、２０１５年６月に設立にこぎつけたアジア諸国向けの銀行です。

中国主導のＡＩＩＢは、日本が主導してきた「アジア開発銀行」への挑戦、と見ることもできます。中国が「新たなルール」をつくろうとする動きなのです。

ＡＩＩＢ創設時には、インド、シンガポール、インドネシア、韓国、サウジアラビア、アラブ首長国連邦などのアジア諸国をはじめ、欧州からもイギリス、ドイツ、フランスなど、南米からはブラジル、さらにはオーストラリアなど57カ国が参加を表明しました。ただし、日本とアメリカは参加しませんでした。

中国は、約30パーセントの資金を出す最大の出資国ですし、本部は北京、総裁も中国人が就任しました。ＡＩＩＢが中国主導で進むのは間違いありません。「アジアの経済リーダーは、名実ともに中国であることを示したい」と考えているのです。

▼中国共産党とは？

人口約14億人の中国で、現在党員は約９６００万人。党の中枢は７人の党中央政治局常務委員から成り、そのトップが総書記です。習近平氏は総書記と人民解放軍の司令官である党中央軍事委員会主席、そして国家主席を兼ねており、中国は事実上共産党の一党独裁となっています。

２０１８年の全人代（全国人民代表大会）で、これまで２期10年とされていた国家主席の任期が撤廃（てっぱい）され、２０２２年10月の共産党大会では、習氏が異例の３期目に入ることが決定しました。指導部となる政治局員24人も、ほぼすべてが過去に習氏との関係が深い人物が選ばれるなど、権力の集中が一層強まっています。

北京の人民大会堂で行われた第20回中国共産党大会

延安革命紀念館を見学する習近平総書記、中央政治局常務委員の李強、趙楽際、王滬寧、蔡奇、丁薛祥、李希の各氏

▼池上先生の、ここがポイント！

◎中国国内のあらゆる場所、あらゆる組織に党員がいて、コントロールしています。その数は２０２１年末で９６７１万人。ドイツの人口より多いのです。

◎学校にも共産党の書記という人がいて、校長も先生たちも、書記の命令に従わなければなりません。

◎警察も裁判所も新聞もテレビも、共産党の支持通りに動く仕組みになっています。

▼上海協力機構とは?

中国と旧ソ連の国々の地域協力組織です。1996年に、旧ソ連と中国の国境地帯における軍事分野の信頼強化に関する協定に、中国、ロシア、カザフスタン、キルギス、タジキスタンの5カ国が署名(上海ファイブ)。2001年にウズベキスタンが加わり、上海協力機構(SCO)が成立しました。

現在、加盟国9カ国にオブザーバー3カ国(アフガニスタン、ベラルーシ、モンゴル。イランが2023年に準加盟から正式に加盟)。事務局は北京で、事務局長は中国の張明。2022年9月には、ウクライナに侵攻したロシアも含め、ウズベキスタンのサマルカンドで首脳会議が行われました。

ウズベキスタンで行われた首脳会議に参加する、（左から）習近平国家主席、ウズベキスタン・ミルジヨエフ大統領、プーチン大統領

▼池上先生の、ここがポイント！

◎中国の上海で結ばれた条約で成立した組織なので、この名前があります。

◎中国は、「一帯一路」計画を進める上で、中央アジアとの関係を深めるために、この組織を活用しようと考えています。

◎ロシアは、ウクライナへの侵攻で西側諸国と対立しているため、ユーラシア大陸の各国との関係を深めようと考えています。

第3章　日本

アジアに関する主なできごと

月日	できごと
2月4～20日	北京冬季五輪
5月10日	韓国、尹錫悦大統領就任
6月24日	香港、「リンゴ日報」閉鎖から1年
6月30日	フィリピン、フェルディナンド・マルコス大統領就任
7月26日	インド太平洋経済枠組み（IPEF）がオンラインで閣僚級会合
8月2日	アメリカ、ペロシ下院議長が台湾を訪問、蔡英文総統と会談
10月16日	中国、第20回共産党大会、習近平国家主席が3期目へ
11月15日	インドネシア・バリ島でG20サミット開催
11月17日	タイ・バンコクで日中首脳会談。対面では3年ぶり

日本国内の主なできごと

月日	できごと
5月15日	沖縄本土復帰50年
5月24日	東京で、クアッド首脳会談
7月8日	安倍元首相、銃撃され死亡
7月10日	参議院議員選挙、自公大勝
8月10日	第二次岸田改造内閣、発足
9月11日	沖縄県知事選
9月27日	日本武道館で安倍元首相国葬
11月22日	文部科学省、旧統一教会に対し、質問権を行使
12月10日	旧統一教会被害者救済新法が成立

Q 昨年参議院議員選挙が行われましたが、参議院の意義とは何ですか？

A 6年の任期をかけて議論し、多様な意見を政治に反映させようという試みです。

2022年は、6月22日に参議院議員選挙が公示されました。これは「この日から選挙運動をしていいよ」という意味です。投票日は7月10日でした。国会は衆議院と参議院に分かれていますが、参議院にはどんな意味があり、どんな選挙なのでしょうか。

衆議院の議論に参加

国会には衆議院と参議院がありますね。衆議院は、「大衆の代表が議論する場所」のこと。それに対して参議院は「衆議院の議論に参加する人たちの場所」という意味です。

衆議院議員選挙に立候補できるのは25歳から。それに対して参議院は30歳から。いわば衆議院より少し〝大人〟の立場で衆議院の議論を見守ったり参加したりするのです。国民の代表なら二つも院はいらない、ひとつでいい、という議論もあります。でも、国民の多様な意見を政治に反映させるには、異なる選挙の仕組みで選ばれた議員がいた方がいいという考え方で二つあるのです。

衆議院より長い任期

衆議院議員は任期が４年。途中で解散があると、任期は短くなります。国民の直近の声を聴くためには、短い方がいいという考えからです。

でも、これではじっくりと落ち着いて議論できないのではないかという意見もあるので、参議院は任期が６年と長く、解散はありません。選挙では半分ずつ選び直します。じっくりと話していたことを新たに選ばれた人たちに伝えることができるようにするためです。

参議院選挙ポスターの掲示板

また、もし参議院議員を全員選び直していたら、衆議院と参議院の選挙が同時に行われているときには国会に議員がいなくなってしまいます。これでは緊急事態が起きたときに困るので、参議院議員の半分は国会にいるようにしているのです。

参議院選挙は、選挙区選挙と比例代表の2種類の方法で議員を選びます。選挙区選挙は、全国の都道府県単位で実施されます。人口の少ない島根県と鳥取県、徳島県と高知県は二つの県を合わせて実施します。選挙区選挙で選ばれるのは、人口の少ない県では1人だけ。人口の多い東京都は6人を選びます。

比例代表は全国をひとつの選挙区として50人

を選びます。投票用紙に政党の名前を書いてもいいし、候補者の名前を書いてもかまいません。開票では候補者の名前が書かれた投票用紙は、候補者が所属する政党の得票として計算され、政党名が書かれた票と合計されます。

こうして各政党の得票数がまとまると、その得票数に比例して当選者数が決まり、その政党の中で得票数の多い順に当選が決まります。当選者数が５人の政党なら、得票数が多い順に５人の当選が決まります。

これは、それぞれの政党の候補者の中で、誰を当選させるか、有権者に決めてもらおうということなのです。この仕組みだと、有名人を立候補させて自分の政党の得票にしようと考える党が出てくるので、いわゆるタレント候補が多くなります。

選挙で投票できるのは18歳から。まだ投票権がない人も、いまから選挙の様子を見ておきましょう。

Q 宗教法人とは何ですか？

A 宗教活動が自由にできる仕組みで、法律上「人間扱い」をしています。

安倍晋三元首相を銃撃した男は、「母親が宗教団体に多額の寄付をしたことで、家が破産してしまった」と恨(うら)んでいるようです。だからといって安倍元首相をねらうのは筋違いですが、事件で注目された「宗教法人」とはどういうものか考えてみましょう。

「法律上の人間」

宗教法人の「法人」とは、「法律の上で人間と同じに扱う」という意味です。たとえば私立学校は「学校法人」といいます。これは、学校の敷地や建物が個人の持ち物だった場合、その持ち主が亡くなったり、「学校経営をやめた」と言い出したりしたら、学校がなくなるかもしれません。それを防ぐために、学校を、まるで人間のように扱って、「学校が建物を管理する」という仕組みにしているのです。

これなら経営者が亡くなっても、後継者がいれば学校は存続できます。宗教法人も同じなのです。

宗教弾圧（だんあつ）を反省

こんな仕組みになったのは、第二次世界大戦やその前から、日本では「国家神道」を全国民が信じるように強制し、自由に宗教活動ができないようにしていたという過去の反省からです。これに反対したキリスト教徒や仏教徒は、次々に逮捕され、獄中（ごくちゅう）で亡くなった人も出たのです。

そこで戦後、「宗教法人を作りたい」と届け出れば、これを認めるようになったのです。ただし、宗教ですから、「何を信じるか」ということがはっきりしていて、お祈りの場を持ち、信者がいることが条件です。

宗教法人は信者から寄付を集めることが一般的です。活動をするには資金が必要ですからね。そこで、宗教活動で得た寄付やお布施などのお金については、税金を払わなくていいというルールになっています。

今回問題になっている宗教団体は、「世界平和統一家庭連合」という名前ですが、1994年までは「世界基督教統一神霊協会」(統一教会)という名称でした。「基督教」とは「キリスト教」の漢字表記です。

自分たちは「キリスト教の団体だ」と主張していますが、多くのキリスト教徒たちは、「あれはキリスト教なんかではない」と反発し、「統一協会」という呼び方にしてほしいと言っている人もいます。

この団体は宗教法人ですが、もうひとつ別の顔があります。それが「国際勝共連合」という政治団体です。こちらは「共産主義に打ち勝たなければならない」と言って、同じような考え方を持つ自民党の国会議員に接近し、自分たちの考えを自民党の中に広げようとしていたのです。

「統一教会」の名称だった頃には、彼らは各家庭を訪問し、「悪霊がとりついている。

これはご先祖様を大事にしていないからだ。悪霊を退けるつぼを買いなさい」と高額のつぼを売りつけることをして、大きな社会問題になっていました。これを「霊感商法」といいます。大勢の被害者を助けるための被害者弁護団が活動をしています。宗教団体の活動は自由に認めるべきですが、人をだましたり、多額の寄付を集めて信者を不幸にしたりしてはなりません。宗教団体の活動をどこまで認めるべきかが大きな議論になっています。

Q 「円安」とはどういうことですか？

A 日本のお金の「円」がドルに対して値下がりしているということです。

このところ「円安」が大きなニュースになっています。円安のために海外から輸入する商品の値段が上がり、物価高が深刻になっています。一方、外国人観光客は「日本はなんでも安い」と大喜び。どういうことでしょうか。

同じ品物で違う値段

新型コロナウイルス対策のため、日本の政府は外国人観光客の入国を制限していましたが、2022年10月に解除されました。全国各地の観光地は外国人が大勢訪れ、「円安」を味わっています。これは、どういうことでしょうか。

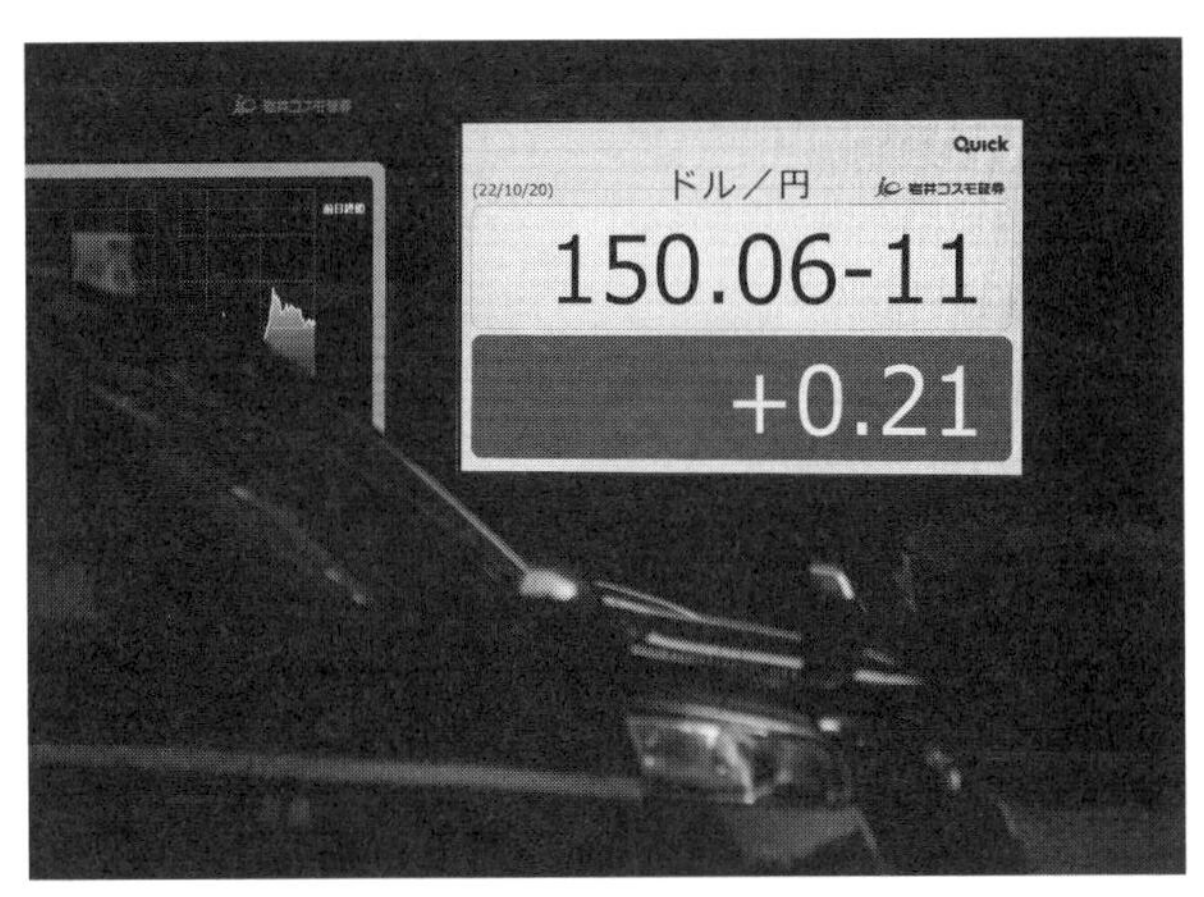

１ドル＝150円台になったことを示す街頭の為替ボード

たとえば、１ドルが１００円から１４０円になると、これは「円安」です。逆に１ドルが１４０円から１００円になれば、「円高」といいます。

１ドルが１００円のとき、１ドルのチョコレートを買うのに１００円出せばいいのですが、１ドルが１４０円になれば、１４０円も出さなければ買えなくなります。それだけ円の価値が下がったので、「円安」といいます。ただし、いくらなら円安でいくらなら円高という決まりはありません。以前より円の価値が下がれば、「円安」です。

たとえば１ドルが１００円なら、１００ドルを円に両替すると１万円ですが、１ドルが１４

0円なら1万4000円になります。4000円も余分な買い物ができるのです。

世界のお金、ドルが基準

外国の会社と貿易をするときには、商品の支払いに、どこの国のお金を使うのでしょうか。世界の国々は、アメリカのドルで支払いをしています。日本の会社がアメリカから商品を買うときにドルで支払うのは当然ですが、中東の国から石油を買うときにも日本の会社はアメリカのドルで支払います。アメリカのドルが支払いに使われるので、ドルは「世界のお金」と呼ばれます。アメリカの経済が強く、世界の誰もがドルの存在を知っているからです。

そこで、世界各国のお金は、「1ドルいくら」と表現されます。この価値は「需要と供給」の関係で変動します。

たとえば、あなたが好きなゲームソフトやタレントのコンサートチケットだったら、少しくらい高くても買いますね。それと同じで「ドルが欲しい」という人が多ければ、ドルの価値が上がります。これがドル高です。

今、日本経済はなかなか景気が良くならないので、日本銀行は金利をほとんどゼロにしています。これなら企業が銀行からお金を借りやすくなるので、お金を借りて工場を建設し、社員を新たにやとえば景気が良くなるだろうと考えているのです。

一方、アメリカは景気がどんどん良くなり、高い商品でも売れるようになった結果、激しい物価高になっています。

これでは国民が困るので、アメリカでは金利を高くして企業がお金を借りにくくし、景気が過熱しないようにしています。

その結果、日本でお金を預けても利子はほとんどつきませんが、アメリカでは利子が３％以上もらえます。

そこで、円をドルに替えてアメリカの銀行に預けようと考える人が増えます。これを「円売りドル買い」と言います。それだけドルの人気が高まり、円の人気は急落。円安が進んだのです。

Q 沖縄が日本に復帰して50年が経ちました。沖縄の状況は変わったのでしょうか？

A 「本土並み」と言うにはほど遠く、安全に対する負担は今も続いています。

２０２２年5月15日は沖縄が日本に復帰して50年。それまで沖縄はアメリカに占領されていたのです。アメリカ占領中に米軍基地がたくさん造られ、それがまだ多く残っているのです。私たちは、どう考えればいいのでしょうか。

激しい戦闘

50年前まで沖縄はアメリカに占領されていました。それは日本とアメリカが戦争をしたからです。１９４１年、日本がハワイの真珠湾にあるアメリカ軍基地を攻撃したことで戦争が始まりました。日本軍は、東南アジア各国を占領しました。これに対してアメリカ軍は、東南アジア各地で反撃し、１９４５年４月、ついに沖縄本島に上陸。激しい戦闘の結果、アメリカ軍が占領しました。

アメリカ軍は、沖縄を拠点にして日本の本土への上陸作戦を立て、そのために沖縄に基地を建設しました。

その後、８月になって日本は降伏。アメリカは日本全体を占領しました。１９５１年になって日本はアメリカなど連合国と「サンフランシスコ講和条約」を結びます。「二度と戦争をしません」という平和条約です。これで日本の本土は占領から独立を果たしたのです。

アメリカの占領

ところが１９５１年といえば、朝鮮半島では前の年から朝鮮戦争が始まっていました。北朝鮮軍と戦う韓国軍をアメリカ軍が支援していましたから、日本各地からアメリカ軍が朝鮮半島に派遣されていました。とりわけ沖縄にはアメリカ軍基地がたくさんあり、アメリカ軍に都合がよかったので、沖縄の占領を続けたのです。

沖縄のトップはアメリカ軍の司令官で、沖縄県民の権利は制限され、アメリカ軍は英語を使い、英語が公用語のような扱いになりました。念のために言っておきますが、沖縄の人たちは日本語を話し、学校の授業も日本語で行われましたよ。一方、お金はドルが使われ、道路は「人は左、車は右」と、アメリカ本土と同じにされていました。

こんな状態はいやだ。自分たちも日本に戻りたい。沖縄の人たちは、日本への復帰運動を続けました。アメリカ軍基地への抗議行動も激しくなりました。

その結果、アメリカは、沖縄を日本に返還することにしたのです。アメリカにとっては「返還」で、沖縄の人にとっては「復帰」でした。

核抜き本土並み

こうして１９７２年５月、沖縄は日本に復帰しました。このとき佐藤栄作首相は、沖縄の基地の返還について「核抜き本土並み」という言葉を使いました。それまで沖縄には、アメリカ軍が核兵器を持ち込み、中国大陸に照準を合わせていました。アメリカと中国との戦争に備えていたのです。

日本政府としては、「核兵器は撤去してくれ」とアメリカに要求して実現しました。アメリカ軍は毒ガス兵器も沖縄に置いていたのですが、これも撤去させました。

しかし、「本土並み」とは、アメリカ軍基地の数や面積も本土並みに減らすという意味だったのですが、これはいまも実現していません。アメリカ軍の兵士による犯罪も起きています。

沖縄にアメリカ軍がいることで日本の安全が守られているという考えもありますが、だったら、沖縄の人たちにばかり負担をかけてはいけませんよね。日本としてどうするかが問われているのです。

Q 日米地位協定とは何ですか？

A 日本国内のアメリカ軍兵士や軍属に特別な地位を与える約束です。

２０１６年４月、沖縄で起きた殺人事件。逮捕されたのはアメリカ軍（米軍）の軍属の男でした。今回は米軍基地の外に住んでいたので日本の警察が逮捕できましたが、基地の中に逃げ込んでいたら、すぐには手が出せなかったはずです。それは「日米地位協定」があるからです。

日米安保条約を基にした協定

まず「軍属」とは何でしょうか。軍属とは、米軍に雇われているアメリカ国籍の民間人のことです。逮捕された男は、もともとは米軍の兵士でしたが、兵士を辞めて民間人になった後、基地に勤めていました。

日本にいる米軍兵士や軍属、それにそれぞれの家族については、一般の外国人（アメリカ人を含む）とは異なる特別な地位が与えられています。それを定めているのが「日米地位協定」という日米の約束です。

日本とアメリカの間には「日米安全保障条約」（安保条約）という約束があります。これは、もし日本がどこかの国に攻められたときには、米軍が日本を守るという約束です。そのために米軍は日本国内に基地を置くことが認められています。また、いざというときには多数の米軍兵士が日本に駆け付けなければならないので、パスポートを持たずに直接、米軍基地に入ることが認められています。

さらに、米軍兵士が日本で犯罪を起こした場合、公務中（仕事中）だったり、基地の中に入ってしまったりすると、アメリカの法律が適用され、日本の警察は逮捕することができません。ただし、現行犯なら逮捕できますし、今回のように公務中でなく、基地の外で生活していれば逮捕できます。

このように米軍兵士に特別な権利が認められているのは、「わざわざ日本を守りに来

アメリカ空軍嘉手納基地

てくれているのだから、特別な地位を認めてあげましょう」という発想からです。
実は日本の自衛隊が海外で活動するときにも、その国との間で地位協定が結ばれ、自衛隊員の犯罪に対して、その国の警察が逮捕したり、裁判をしたりすることはできないことになっています。
自衛隊は2017年までアフリカの南スーダンで活動していました。これは国連の平和維持活動の一環です。国連と南スーダン政府との間で地位協定が結ばれ、世界各国から派遣されている隊員たちは、南スーダンの法律ではなく、それぞれの国の法律が適用されます。自衛隊員の犯罪は、日本の法律で裁かれるのです。幸いなことに、まだこうした事件は起きていませんが。

「不公平」という声も

でも、日本にいる米軍兵士だけに特別な権利を与えているのは不公平だ、という声があります。とりわけ、容疑者が基地の中に逃げ込むと、日本の警察は手が出せないことが問題になります。米軍側に申し入れて取り調べを行い、犯罪事実が固まって起訴した段階で、日本側に引き渡されます。

このように、特別な地位を与えられている米軍兵士の犯罪を捜査するのは苦労をともないます。だから犯罪が後を絶たないという声もあります。日本国内での犯罪は日本の法律で裁くべきだ、という意見もあります。何よりも、沖縄に米軍基地が多すぎるという問題があります。沖縄が本土に復帰して50年。この事件をきっかけに、沖縄の人たちの負担を減らすにはどうしたらいいかを全国の人たちが考えなければなりません。

▼G7サミットとは?

G7とは「Group of Seven」の略称で、世界の主要7カ国（日、米、英、独、仏、伊、カナダ）のことです。2022年のサミット（首脳会議）は各国の代表に加えて欧州理事会議長と欧州委員会委員長も参加。ショルツ独首相が議長となり、ドイツの保養地エルマウで、ロシアのウクライナ侵攻などについて話し合われました。

2023年は岸田首相が議長となり、5月に広島市の宇品島でサミットが行われることが決まっています。日本でのサミット開催は2016年の伊勢志摩サミットに続いて7回目。サミットのほか、閣僚会議は外相会議が長野県・軽井沢町、財務相会議が新潟市などで行われます。

ウクライナ侵攻を巡るG7各国の構図

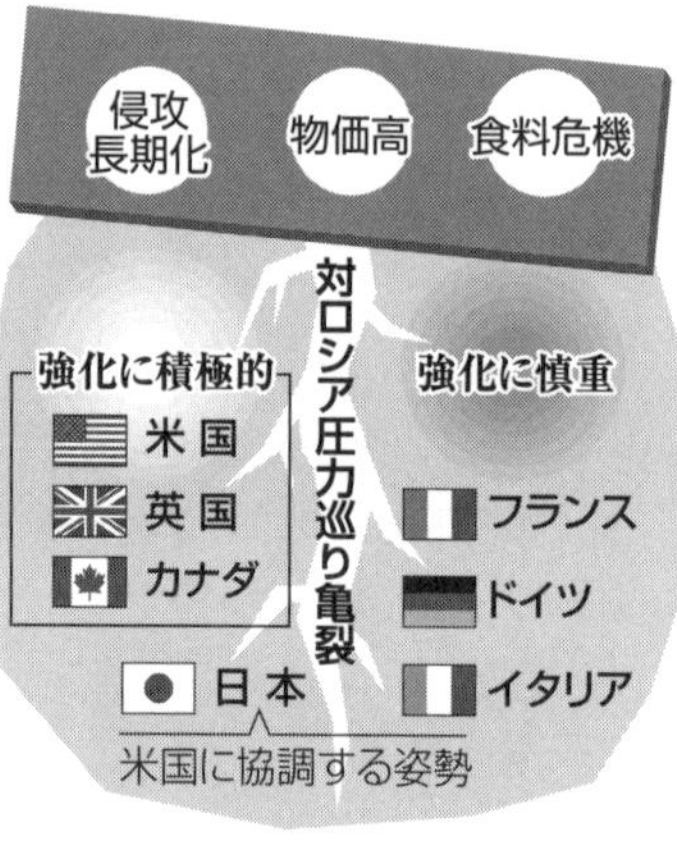

2022年のエルマウ・サミットに集まった首脳ら

▼池上先生の、ここがポイント！

◎広島選出の岸田首相は核廃絶への思いが強く、被爆地ヒロシマを選び、核軍縮の動きを進めたいと考えています。

◎G7サミットに参加する国のうち、アメリカ、イギリス、フランスは核兵器の保有国。核軍縮の動きにつなげられるか、岸田首相の手腕によるでしょう。

◎ロシアが核兵器の使用をちらつかせる中で開かれるため、各国首脳が何を言うかに注目が集まります。

▼IPEFとは？

インド太平洋経済枠組み（Indo-Pacific Economic Framework）のことです。TPP（環太平洋パートナーシップ）を脱退したアメリカのバイデン大統領が2022年5月に提唱したもので、中国がTPPに加盟を申請したり、ASEANと日本・韓国・オーストラリア・ニュージーランドが含まれるRCEP（地域的な包括的経済連携）に加盟したことを意識しています。

IPEFには、日・米のほか、オーストラリア、インド、韓国など14カ国が加盟しています。「貿易」「サプライチェーン」「クリーン経済」「公正な経済」の4つの分野について交渉することになっています。

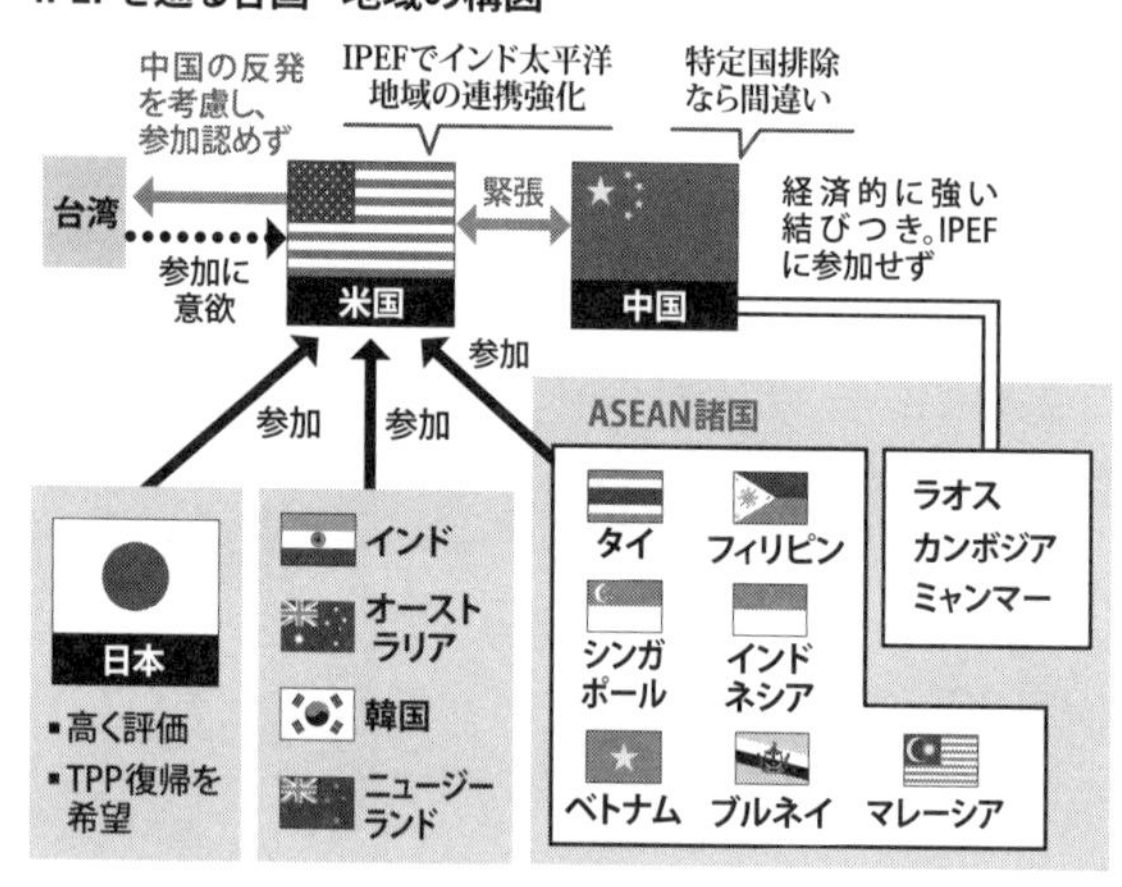

5月23日、東京で行われたIPEF発足の会合で記念撮影に臨む（左から）岸田首相、バイデン大統領、インド・モディ首相

▼池上先生の、ここがポイント！

◎参加国に対し、TPPほどの規制はかかりません。「参加することに意味がある」というレベルで参加国に呼びかけ発足しました。

◎発足の背景には、強大化しつつある中国への警戒感が存在します。中国に対抗できる組織にするのが長期的な目標です。

◎IPEFに入ることは、「私の国は自由な貿易を推進します」と宣言・宣伝することを意味します。

▼クアッドとは？

クアッド（QUAD）とは「4つ」の意味です。日本、アメリカ、オーストラリアとインドの4カ国による「日米豪印戦略対話」のことで、インド太平洋地域の安全保障と経済についての枠組みです。

2021年3月にオンラインで、9月にはアメリカ・ワシントンDCに初めて首脳が集まりました。新型コロナ対策に加え、中国に対する政策について話し合われました。

2022年は首脳会議が東京で開かれ、ロシアのウクライナ侵攻がインド太平洋地域に与える影響などについて話し合われました。

記者会見する岸田首相

5月24日、東京で行われた首脳会合を前に言葉を交わす（左から）オーストラリア・アルバニージー首相、アメリカ・バイデン大統領、インド・モディ首相、岸田首相

▼池上先生の、ここがポイント！

◎日本とアメリカ、オーストラリアは以前から親密な関係ですが、インドは必ずしもそうではありません。

◎中国に対抗するグループとして、中国の隣国のインドを引き入れることが大事な目的です。

◎クアッドに対抗して、中国もインドとの関係改善に乗り出しています。どちらにとってもインドが重要な国になるのです。

▼RCEPとは？

日本、中国、韓国とASEAN諸国、オーストラリアなど、計15カ国が結んだ経済連携協定のことです。RCEPとは「Regional Comprehensive Economic Partnership」の頭文字で「地域的な包括的経済連携」という意味です。人口、GDP（国内総生産）で世界全体の3割を占めるという大きな経済圏が誕生しました。日本は中国と交わす初めての経済連携協定となり、中国の影響力を考慮して、インドも参加するよう働きかけていましたが、結局インドは参加を見送ることになりました。

IPEFとTPP、RCEPの比較

	参加国	概要	世界の国内総生産(GDP)に占める割合
IPEF	米国、日本、インド、オーストラリア、韓国、ASEANの7カ国など計14カ国	関税引き下げを対象としない。「供給網の強靭化」など4本柱で構成。分野ごとに参加可能	約4割
TPP	日本、オーストラリア、カナダ、チリ、ASEANの一部など計11カ国	将来的にほぼ全ての品目の関税撤廃。貿易自由化や高いルール水準を満たす必要	約1割
RCEP	日本、中国、韓国、オーストラリア、ASEAN全参加国など計15カ国	品目ベースの関税撤廃率は91%。投資促進や知的財産保護などを規定	約3割

▼池上先生の、ここがポイント！

◎ＲＣＥＰができたことにより、日本は中国ばかりでなく韓国とも初めて経済連携協定を結ぶことになりました。

◎輸出入にかかる関税を段階的に減らしていくことになっていますが、そのペースは緩やかなので、私たちがＲＣＥＰの恩恵を感じるのは、まだ先のことです。

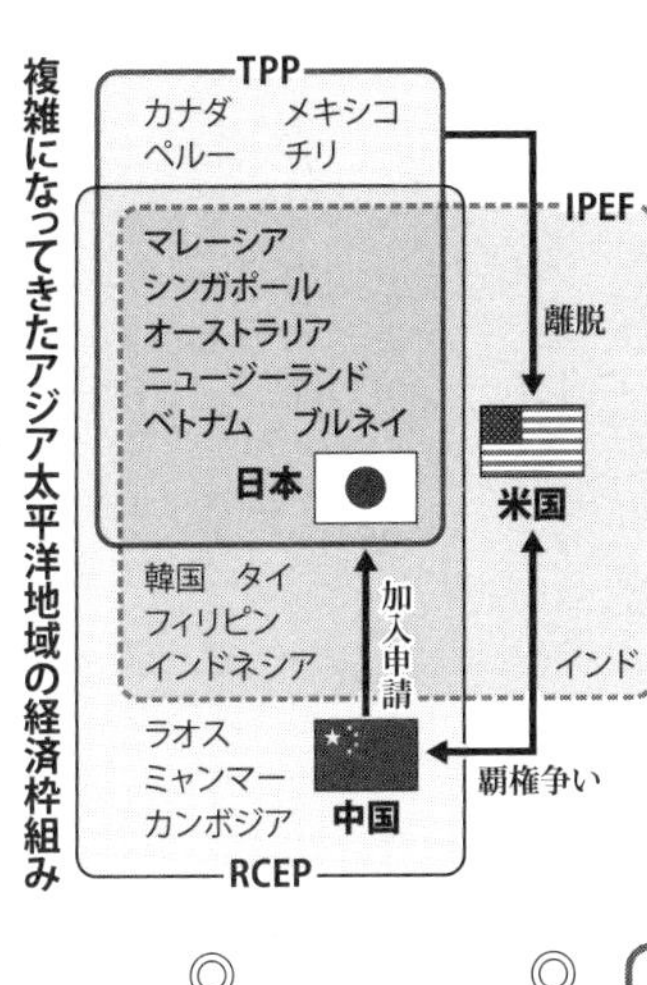

複雑になってきたアジア太平洋地域の経済枠組み

◎インドは、自国の産業を守るために輸入品に高い関税をかけているので、ＲＣＥＰに参加すると関税を減らさなくてはならず、国内産業を優先して参加しませんでした。

▼質問権とは？

「報告徴収・質問権」は、宗教法人法によって決められている国の権利です。「法令に違反して、著しく公共の福祉を害すると明らかに認められる行為をした」疑いのある宗教法人に対して、文部科学省が調査できるとされています。これはオウム真理教事件を受けて１９９６年にできたものですが、これまで行使されたことはありませんでした。

　２０２２年11月22日、文部科学省は質問権を行使し世界平和統一家庭連合（旧統一教会）に対して、文書・帳簿の提出などを求めました。この調査の結果、法令違反を認めた場合、裁判所に宗教法人の解散命令を請求することも考えられます。

文化庁専門家会議委員

区分	氏名	所属
宗教関係者	網中　彰子	日本基督教団横浜明星教会牧師
宗教関係者	内田　恭子	教派神道連合会理事
宗教関係者	江口　陽一	新日本宗教団体連合会常務理事
宗教関係者	九條　道成	明治神宮宮司
宗教関係者	宍野　史生	日本宗教連盟理事長
宗教関係者	戸松　義晴	全日本仏教会理事
宗教関係者	中尾　史峰	築地本願寺宗務長
宗教関係者	庭野　光代	立正佼成会次代会長
宗教関係者	広瀬　薫	日本同盟基督教団牧師
宗教関係者	本多　端子	全日本仏教婦人連盟理事
宗教関係者	村田　守広	竹駒神社宮司
大学教員	大橋真由美	上智大教授
大学教員	北居　功	慶応大大学院教授
大学教員	北沢　安紀（座長）	慶応大教授
大学教員	宍戸　常寿	東大大学院教授
大学教員	西井　涼子	東京外国語大教授
大学教員	藤原　聖子	東大大学院教授
大学教員	峰　ひろみ	東京都立大大学院教授
大学教員	村上　興匡	大正大教授

全員が宗教法人審議会委員を兼ねる

質問権行使の運用基準を話し合ったメンバー

質問権の行使について記者会見する永岡桂子文科相

▼池上先生の、ここがポイント！

◎宗教法人という制度は、「信教の自由」を保障するためのもの。法人として認められれば、寄付などには税金がかかりません。

◎それだけ優遇されている組織だけに、問題行動があった法人には、管轄の文部科学省が「法令を守っているか」を質問することができるのです。

◎問題が多い法人であることが判明した場合、宗教法人審議会に諮（はか）った上で、裁判所に対し解散命令を出すように要求できることになっています。

第3部

各国指導者・資料編

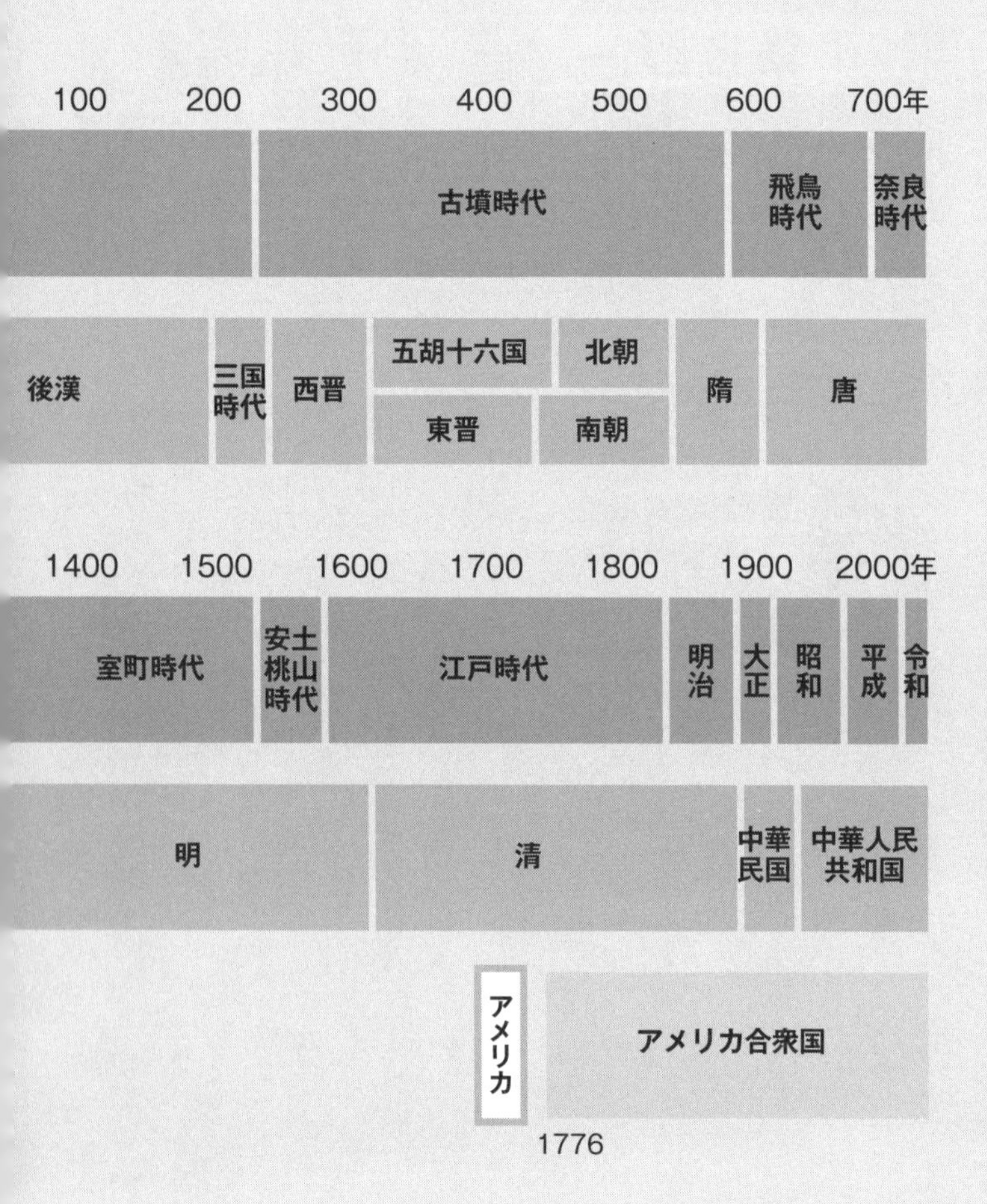
100
200
300
400
500
600
700年
古墳時代
飛鳥
時代
奈良
時代
後漢
三国
時代
西晋
五胡十六国
北朝
東晋
南朝
隋
唐
1400
1500
1600
1700
1800
1900
2000年
室町時代
安土
桃山
時代
江戸時代
明
治
大
正
昭
和
平
成
令
和
明
清
中華
民国
中華人民
共和国
アメリカ
アメリカ合衆国
1776

■日本・中国・アメリカ略年表

	BC500年	400	300	200	BC100	BC.1/1A
日本	縄文時代	弥生時代				
中国	春秋時代	戦国時代		秦	前漢	

	800年	900	1000	1100	1200	130
日本	奈良時代	平安時代			鎌倉時代	
中国	唐	五代十国	北宋	金 南宋		元

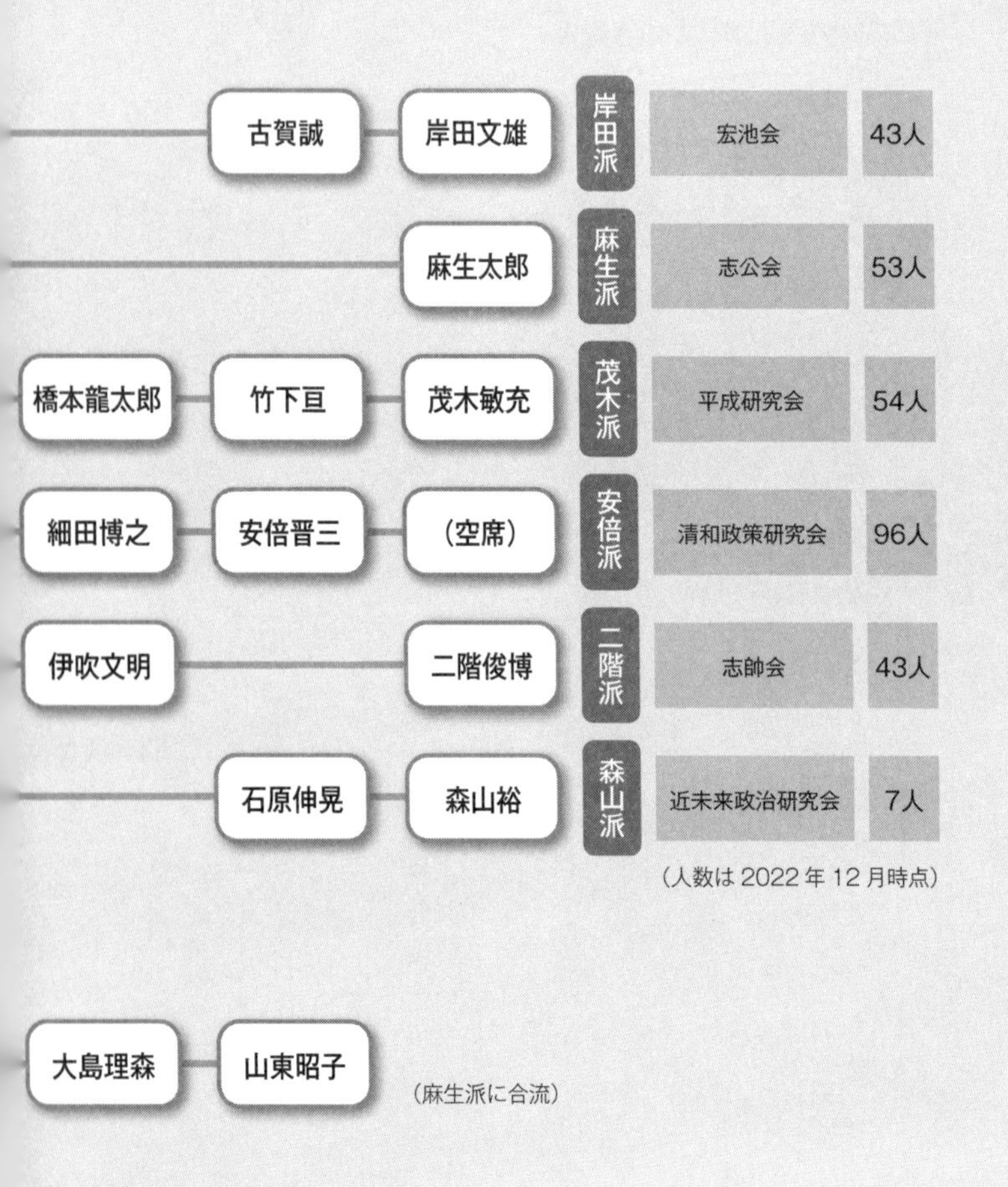
古賀誠
岸田文雄
岸田派
宏池会
43人
麻生太郎
麻生派
志公会
53人
橋本龍太郎
竹下亘
茂木敏充
茂木派
平成研究会
54人
細田博之
安倍晋三
（空席）
安倍派
清和政策研究会
96人
伊吹文明
二階俊博
二階派
志帥会
43人
石原伸晃
森山裕
森山派
近未来政治研究会
7人
（人数は 2022 年 12 月時点）
大島理森
山東昭子
（麻生派に合流）

■自民党の派閥（人名は主な会長）

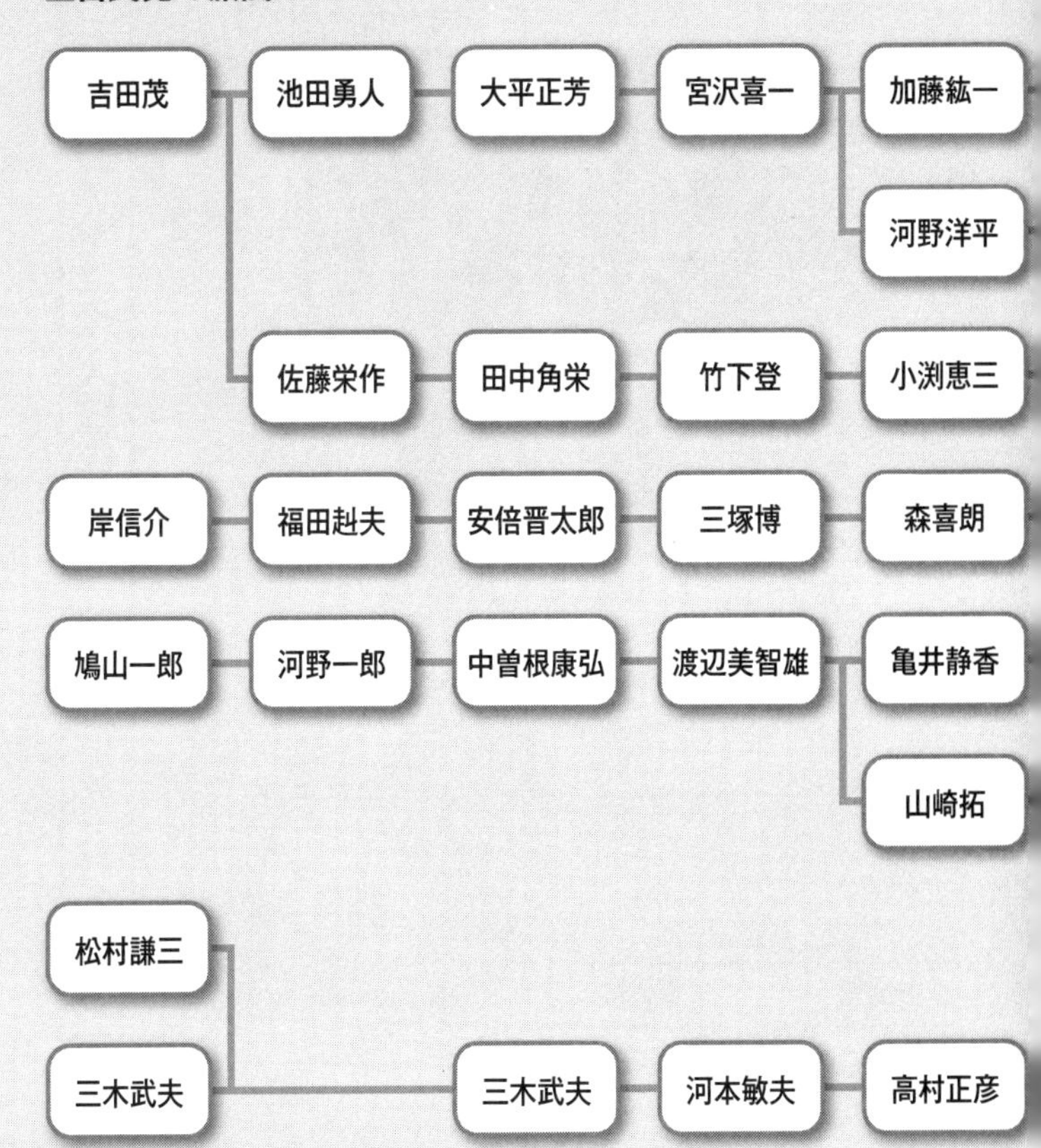

アメリカの歴代大統領一覧（第二次世界大戦後〜現在）

	第46代	第45代	第44代
名前	ジョー・バイデン	ドナルド・トランプ	バラク・オバマ
在職年	2021〜	2017〜2021	2009〜2017
生没年	1942〜	1946〜	1961〜
党	民主党	共和党	民主党
主なできごと	アメリカ軍、アフガニスタンより撤退（2021）。中国・習近平総書記と対面で会談（2022）	北朝鮮・金正恩委員長と会談（2018）	副大統領はジョー・バイデン。ノーベル平和賞受賞（2009）

第40代	第41代	第42代	第43代
ロナルド・レーガン	ジョージ・H・W・ブッシュ	ビル・クリントン	ジョージ・W・ブッシュ
1981〜1989	1989〜1993	1993〜2001	2001〜2009
1911〜2004	1924〜2018	1946〜	1946〜
共和党	共和党	民主党	共和党
元映画俳優。プラザ合意（1985）	ジョージ・W・ブッシュの父。湾岸戦争（1991）	ボスニア・ヘルツェゴビナ紛争（1992〜1995）	同時多発テロ（2001）。イラク戦争（2003）

第36代	第37代	第38代	第39代

リンドン・ジョンソン	リチャード・ニクソン	ジェラルド・フォード	ジミー・カーター
1963〜1969	1969〜1974	1974〜1977	1977〜1981
1908〜1973	1913〜1994	1913〜2006	1924〜
民主党	共和党	共和党	民主党
公民権法（1964）。ベトナム戦争、北爆開始（1965）	アポロ11号、月面着陸（1969）。中国電撃訪問（1972）	ベトナム戦争終結（1975）	キャンプ・デービッド合意（1978）。ノーベル平和賞受賞（2002）

第32代	第33代	第34代	第35代

フランクリン・ローズヴェルト	ハリー・トルーマン	ドワイト・アイゼンハワー	ジョン・F・ケネディ
1933〜1945	1945〜1953	1953〜1961	1961〜1963
1882〜1945	1884〜1972	1890〜1969	1917〜1963
民主党	民主党	共和党	民主党
第二次世界大戦参戦。ヤルタ会談（1945）	副大統領から大統領に。ポツダム宣言（1945）	第二次世界大戦の英雄。朝鮮戦争休戦（1953）	キューバ危機（1962）

日本の歴代首相一覧（第二次世界大戦後～現在）

	第100－101代	第99代	第96－98代
名前	岸田文雄（きしだふみお）	菅義偉（すがよしひで）	安倍晋三（あべしんぞう）
在職年	2021～	2020～2021	2012～2020
生没年	1957～	1948～	1954～2022
党	自由民主党	自由民主党	自由民主党
主なできごと	ロシアがウクライナに侵攻（2022）	新型コロナウイルス感染症流行（2020～）。東京オリンピック・パラリンピック開催（2021）	アメリカ・オバマ大統領、広島訪問（2016）。トランプ大統領就任（2017）

第92代	第93代	第94代	第95代
麻生太郎（あそうたろう）	**鳩山由紀夫**（はとやまゆきお）	**菅直人**（かんなおと）	**野田佳彦**（のだよしひこ）
2008～2009	2009～2010	2010～2011	2011～2012
1940～	1947～	1946～	1957～
自由民主党	民主党	民主党	民主党
アメリカ、オバマ大統領就任（2009）	15年ぶりの非自民政権誕生（2009）	東日本大震災（2011）	韓国の李明博大統領が竹島に上陸、日韓関係が悪化（2012）

第85－86代	第87－89代	第90代	第91代

森喜朗（もりよしろう）	小泉純一郎（こいずみじゅんいちろう）	安倍晋三（あべしんぞう）	福田康夫（ふくだやすお）
2000～2001	2001～2006	2006～2007	2007～2008
1937～	1942～	1954～2022	1936～
自由民主党	自由民主党	自由民主党	自由民主党
ロシア、プーチン大統領就任（2000）。九州・沖縄サミット（2000）	アメリカ同時多発テロ（2001）。日朝平壌宣言（2002）。イラク戦争（2003）	教育基本法改正（2006）。イラク復興支援特別措置法改正（2007）	北海道洞爺湖サミット（2008）。アメリカ、リーマン・ショック（2008）

第80代	第81代	第82－83代	第84代
羽田孜（はたつとむ）	村山富市（むらやまとみいち）	橋本龍太郎（はしもとりゅうたろう）	小渕恵三（おぶちけいぞう）
1994	1994～1996	1996～1998	1998～2000
1935～2017	1924～	1937～2006	1937～2000
新生党	日本社会党	自由民主党	自由民主党
英仏海峡トンネル開通（1994）	阪神・淡路大震災（1995）。NATO、ボスニア・ヘルツェゴビナ空爆（1995）	香港、中国に返還（1997）	日韓共同宣言（1998）。マカオ、中国に返還（1999）

第75代	第76－77代	第78代	第79代

宇野宗佑(うのそうすけ)	海部俊樹(かいふとしき)	宮沢喜一(みやざわきいち)	細川護熙(ほそかわもりひろ)
1989	1989～1991	1991～1993	1993～1994
1922～1998	1931～2022	1919～2007	1938～
自由民主党	自由民主党	自由民主党	日本新党
参議院選挙で与野党逆転、短期で退陣（1989）	東西ドイツ統一（1990）。湾岸戦争（1991）	ソビエト連邦解体（1991）。PKO（国連平和維持活動）協力法（1992）	ヨーロッパ連合条約発効（1993）

第68－69代	第70代	第71－73代	第74代
大平正芳（おおひらまさよし）	**鈴木善幸**（すずきぜんこう）	**中曽根康弘**（なかそねやすひろ）	**竹下登**（たけしたのぼる）
1978〜1980	1980〜1982	1982〜1987	1987〜1989
1910〜1980	1911〜2004	1918〜2019	1924〜2000
自由民主党	自由民主党	自由民主党	自由民主党
ソ連、アフガニスタン侵攻（1979）	イラン・イラク戦争（1980）。フォークランド紛争（1982）	チェルノブイリ原発事故（1986）	米ソ、INF（中距離核戦力）全廃条約（1987）。昭和天皇崩御、平成に改元（1989）

第61－63代	第64－65代	第66代	第67代
佐藤栄作(さとうえいさく)	田中角栄(たなかかくえい)	三木武夫(みきたけお)	福田赳夫(ふくだたけお)
1964～1972	1972～1974	1974～1976	1976～1978
1901～1975	1918～1993	1907～1988	1905～1995
自由民主党	自由民主党	自由民主党	自由民主党
ベトナム戦争、アメリカ北爆開始(1965)。沖縄本土復帰(1972)	日中国交正常化(1972)。第四次中東戦争、石油危機(1973)	ロッキード事件(1976)	日中平和友好条約(1978)

第52－54代	第55代	第56－57代	第58－60代

鳩山一郎（はとやまいちろう）	石橋湛山（いしばしたんざん）	岸信介（きしのぶすけ）	池田勇人（いけだはやと）
1954～1956	1956～1957	1957～1960	1960～1964
1883～1959	1884～1973	1896～1987	1899～1965
日本民主党・自由民主党	自由民主党	自由民主党	自由民主党
日本、国連加盟（1956）	南極に昭和基地を設営（1957）	日米新安全保障条約（1960）	東京オリンピック（1964）

第45代	第46代	第47代	第48－51代
吉田茂（よしだしげる）	片山哲（かたやまてつ）	芦田均（あしだひとし）	吉田茂（よしだしげる）
1946～1947	1947～1948	1948	1948～1954
1878～1967	1887～1978	1887～1959	1878～1967
日本自由党	日本社会党	民主党	民主自由党・自由党
日本国憲法施行（1947）	インド、パキスタン分離独立（1947）。ガンジー暗殺（1948）	大韓民国、朝鮮民主主義人民共和国（北朝鮮）成立（1948）	朝鮮戦争（1950～1953）。サンフランシスコ平和条約調印（1951）

中国の歴代指導者一覧（中華人民共和国成立後～現在）

	名前	在職年	生没年	役職	主なできごと
3	江沢民（こうたくみん）	1989～2002	1926～2022	総書記	東西ドイツ統一（1990）。湾岸戦争（1991）。ソビエト連邦解体（1991）。香港返還（1997）
4	胡錦濤（こきんとう）	2002～2012	1942～	総書記	SARS流行（2003）。北京オリンピック（2008）。アラブの春（2011）
5	習近平（しゅうきんぺい）	2012～	1953～	総書記	アジアインフラ投資銀行発足（2015）。アメリカ、トランプ大統領就任（2017）

1		2
毛沢東（もうたくとう）	**華国鋒**（かこくほう）	**鄧小平**（とうしょうへい）
1949～1976	1976～1978	1978～1989
1893～1976	1921～2008	1904～1997
党主席	党主席	中央軍事委員会主席
中華人民共和国成立（1949）。文化大革命（1966～1976）。日中国交正常化（1972）	文化大革命の終結を宣言（1977）	米中国交樹立（1979）。天安門事件（1989）

2023年世界のスケジュール

月日	分野	事項	場所
1月16〜20日	経済	世界経済フォーラム（ダボス会議）	スイス・ダボス
2月24日	政治	ロシアによるウクライナ軍事侵攻から1年	ウクライナ
3月	スポーツ	ワールドベースボールクラシック（WBC）	東京、アメリカ・マイアミなど
4月9日	政治	統一地方選挙・前半（道府県と政令市の知事、市長、議員）	国内各地

4月23日	政治	統一地方選挙・後半（市区町村長・議員）	国内各地
5月19日～21日	政治	G7サミット（それまでに全国各地で関係閣僚会議）	広島
9月1日	災害	関東大震災から100年	
10月	経済	オイルショックから50年	
11月	政治	APEC首脳会議	アメリカ・サンフランシスコ
11～12月	環境	第28回国連気候変動枠組条約締約国会議（COP28）	アラブ首長国連邦

◎本書は「毎日小学生新聞」の連載「教えて！　池上さん」の記事に加筆、編集したものです。

本体表紙（表1）、p.80、81
ロシアによるウクライナ侵攻を受け、ポーランドを始めとする各国へ向けて避難列車が運行された。写真撮影の時点で200万人を超える人々がウクライナを出国。18歳から60歳までの男性は出国を認められないため、駅のホームで妻と子どもに別れを告げる男性。2022年3月14日、ウクライナ・リビウにて。(Jordan Stern／NurPhoto／共同通信イメージズ)

本体表紙（表4）
ポーランド国境を越えて避難してきた、ウクライナ難民の人々。2022年2月25日、ポーランド・メディカにて。（Beata Zawrzel／NurPhoto／共同通信イメージズ)

〔毎日新聞社〕
p.25
国境を越え、ポーランドに入国したウクライナ避難民＝ポーランド南東部メディカで 2022 年 2 月 26 日、三木幸治撮影
p.60
記者団の質問に答える岸田文雄首相＝首相官邸で 2022 年 9 月 29 日、竹内幹撮影
p.70
東京電力福島第一原発の敷地内に並ぶ処理水のタンク＝福島県大熊町で 2022 年 11 月 7 日、代表撮影
p.77
国境を越え、ポーランドに入国したウクライナ避難民＝ポーランド南東部メディカで 2022 年 2 月 26 日、三木幸治撮影
p.120
アメリカ連邦議会議事堂を取り囲むトランプ氏の支持者ら＝アメリカ・ワシントン DC で 2021 年 1 月 6 日、高本耕太撮影
p.121
アメリカ連邦議会の前に詰めかけたトランプ大統領の支持者ら＝ 2021 年 1 月 6 日、古本陽荘撮影
p.138
中国が権益を主張する九段線
p.145
コロナ感染後の療養を終え、記者団の質問に答える岸田文雄首相＝首相官邸で 2022 年 8 月 31 日、竹内幹撮影
p.146、147、166
沖縄県の米軍嘉手納基地＝ 2021 年 11 月 20 日、本社機「希望」から
p.150
まだ一枚も張られていない参院選の選挙ポスター掲示板＝大阪市都島区で 2022 年 6 月 22 日、隈元悠太撮影
p.157
1 ドル＝ 150 円台となった円相場を示すモニター＝東京都港区の外為どっとコムで 2022 年 10 月 21 日、吉田航太撮影
p.170
IPEF を巡る各国の構図
p.172
「クアッド」首脳会議を終え、記者会見する議長を務めた岸田文雄首相＝首相官邸で 2022 年 5 月 24 日、竹内幹撮影
p.175
複雑になってきたアジア太平洋地域の経済枠組み
p.188 ～ 198
写真はすべて毎日新聞社

p.140
北京の人民大会堂で行われた第20回中国共産党大会の閉幕式。(共同)
p.141
延安革命紀念館を見学する習近平中国共産党中央委員会総書記・国家主席・中央軍事委員会主席と、中央政治局常務委員の李強(り・きょう)、趙楽際(ちょう・らくさい)、王滬寧(おう・こねい)、蔡奇(さい・き)、丁薛祥(てい・せつしょう)、李希(り・き)の各氏。2022年10月27日、陝西省延安にて。(新華社/共同通信イメージズ)
p.142
上海協力機構加盟国(共同)
p.143
上海協力機構の第22回サミットに参加する(左から)中国・習近平主席、ウズベキスタン・ミルジヨエフ大統領、ロシア・プーチン大統領。2022年9月16日、ウズベキスタン・サマルカンドにて。(Sputnik/共同通信イメージズ)
p.168
ウクライナ侵攻を巡るG7各国の構図。(共同)
p.169
G7サミットの分科会。2022年6月28日、ドイツ・エルマウにて。(©Pignatelli/ROPI via ZUMA Press/共同通信イメージズ)
p.171
IPEF発足会合の冒頭、記念撮影に臨む(左から)岸田首相、バイデン米大統領、インドのモディ首相。(代表撮影)
p.173
クアッド首脳会合を前に言葉を交わす(左から)オーストラリアのアルバニージー首相、バイデン米大統領、インドのモディ首相、岸田首相。首相官邸にて。(共同)
p.174
IPEFとTPP、RCEPの比較(共同)
p.176
文化庁専門家会議委員。(共同)
p.177
質問権の行使について記者会見する永岡文科相。2022年11月22日、文科省にて。(共同)
p.184～187
トランプ大統領(ロイター＝共同)、トランプ大統領以外はすべて(Newscom/共同通信イメージズ)

Images via ZUMA Press Wire／共同通信イメージズ）
p.102
ゴルバチョフ元ソ連大統領。2013年3月。（ゲッティ＝共同）
p.103
INF全廃条約に調印するレーガン大統領（右）とゴルバチョフ・ソ連書記長。1987年12月、ホワイトハウスにて。（ロイター＝共同）
p.105
インドネシアのバリ島で対面したバイデン米大統領（左）と中国の習近平国家主席。（ロイター＝共同）
p.106、107、118
アメリカ連邦最高裁前でプラカードや横断幕を掲げる人工中絶擁護、反対両派の人たち。アメリカ・ワシントンDCにて。（共同）
p.111
演説するリズ・チェイニー候補。2022年6月29日、アメリカ・カリフォルニア州シミバレーのレーガン大統領図書館にて。（© Brian Cahn／ZUMA Press Wire／共同通信イメージズ）
p.116
次期大統領選への出馬を表明した米共和党のトランプ前大統領。フロリダ州パームビーチにて。（ロイター＝共同）
p.119
アメリカ・ワシントンで人工妊娠中絶の権利を訴えて連邦最高裁に向けて行進する人々。（ロイター＝共同）
p.122
ロンドンの首相官邸前で辞意を表明するトラス首相。（ゲッティ＝共同）
p.123
イギリス首相になったリシ・スナク氏。2022年10月25日、ロンドン・ダウニング街10番地前にて。（© Tayfun Salci／ZUMA Press Wire／共同通信イメージズ）
p.124
記者会見する韓国の尹錫悦大統領。ソウルにて。（共同）
p.125
就任式に臨む、ジョルジャ・メローニ首相。キージ宮殿にて。（LaPresse／共同通信イメージズ）
p.126
記者会見を行うルラ大統領。2022年11月9日、ブラジリアにて。（© Ton Molina／Fotoarena via ZUMA Press／共同通信イメージズ）
p.127
イスラエルのネタニヤフ元首相。（ロイター＝共同）
p.133
記者会見に臨む、新しく選出された中国共産党中央政治局常務委員たち。2022年10月23日、中国・北京の人民大会堂にて。（Sputnik／共同通信イメージズ）

p.45
NATO 加盟について、フィンランド・ニーニスト大統領とスウェーデンのアンデション首相との共同記者会見で話すアメリカ・バイデン大統領。2022 年 5 月 19 日、アメリカ・ワシントン DC のホワイトハウスにて。（Sputnik／共同通信イメージズ）
p.47
国葬後、エリザベス英女王のひつぎに続き、ウェストミンスター寺院を離れるチャールズ国王。（ロイター＝共同）
p.49
中国軍の演習エリアと中間線（共同）
p.52
カンボジア・プノンペンで会談に臨む岸田首相（左）と韓国の尹錫悦大統領（内閣広報室提供・共同）
p.55
北朝鮮 ICBM などの射程（共同）
p.57
安倍晋三元首相の国葬で献花される秋篠宮ご夫妻＝ 2022 年 9 月 27 日、東京都千代田区の日本武道館にて。（代表撮影）
p.63
G7 閣僚会合の開催地（共同）
p.69
COP27 で演説する、アメリカのアル・ゴア元副大統領。2022 年 11 月 9 日、エジプト・シャルムエルシェイクにて。（ＤＰＡ／共同通信イメージズ）
p.79
アルタイ地方のトメンコ知事とビデオ会議を行う、ロシア・プーチン大統領。2022 年 11 月 14 日、モスクワにて。（Sputnik／共同通信イメージズ）
p.88
青空の下、地平線まで続く小麦畑。2018 年 6 月 15 日、ウクライナ・ザポロジエ州にて。（Ukrinform／共同通信イメージズ）
p.93
国際刑事裁判所。2019 年 9 月、オランダ・ハーグにて。（共同）
p.96
ノルドストリーム 2 から、欧州ガスパイプラインへの中継地にある工事現場。2019 年 9 月 14 日、ドイツ・ルブミンにて。（DPA／共同通信イメージズ）
p.100
COP27 合意のポイント。（共同）
p.101
COP27 で演説する国連のグテーレス事務総長。2022 年 11 月9 日、エジプト・シャルムエルシェイクにて。（© Dominika Zarzycka／SOPA

《図版クレジット》

p.11
ロシアのウクライナ侵攻を非難する決議案を否決した国連安全保障理事会。米ニューヨークの国連本部にて。（ロイター＝共同）
p.14
破壊された建物。2022年3月3日、ウクライナ・チェルニヒウにて。（ロイター＝共同）
p.16
国民に向けて演説するゼレンスキー大統領。2022年3月11日、キーウにて。（Ukrinform／共同通信イメージズ）
p.19
日米共同訓練に登場した米海兵隊の高機動ロケット砲システム「ハイマース」。北海道の矢臼別演習場にて。（共同）
p.22
ロシア・プーチン大統領と会談するフランス・マクロン大統領。モスクワのクレムリンにて。（Sputnik／共同通信イメージズ）
p.27
シエラレオネ船籍の貨物船によってトルコに到着し、検査を受けるウクライナの穀物。2022年8月3日、トルコ・イスタンブール近郊のボスフォラス海峡にて。（Depo Photos／ABACA／共同通信イメージズ）
p.28
サハリン2プロジェクト（共同）
p.30
ロシアによるウクライナ侵攻によってマクドナルドが撤退、新たな経営者の下で再開したロシアのマクドナルド店舗。2022年6月12日、モスクワにて。（DPA／共同通信イメージズ）
p.32
ウクライナ・キーウ、ドネツク州、マリウポリ、ルガンスク州（共同）
p.34
現代版シルクロード経済圏構想「一帯一路」（共同）
p.37
アメリカ・ペンシルベニア州フィラデルフィアの集会に参加したオバマ元大統領（左）とバイデン大統領（ゲッティ＝共同）
p.41
共和党のJ・D・バンス候補の応援に駆けつけた、トランプ元大統領。2022年11月7日、アメリカ・オハイオ州バンダリアにて。（© Jintak Han／ZUMA Press Wire／共同通信イメージズ）
p.42
選挙集会で支持者に手を振る共和党のロン・デサンティス・フロリダ州知事。2022年11月7日、フロリダ州オーランドにて。（Paul Hennessy／NurPhoto／共同通信イメージズ）

●著者紹介

池上彰（いけがみ・あきら）

1950年、長野県生まれ。ジャーナリスト。慶應義塾大学卒業後、1973年にNHK入局。1994年から11年にわたり「週刊こどもニュース」のお父さん役をつとめ、わかりやすい解説が話題になる。2005年よりフリーのジャーナリストとして、テレビ、新聞、書籍で活躍。現在、名城大学、東京工業大学など11の大学で学生たちの指導にもあたっている。おもな著書に「知らないと恥をかく世界の大問題」シリーズ（KADOKAWA）、「おとなの教養」シリーズ（NHK出版）、「池上彰の世界の見方」シリーズ（小学館）、「そうだったのか！」シリーズ（集英社）がある。そのほか、『歴史の予兆を読む』（保阪正康氏との共著、朝日新聞出版）、『独裁者プーチンはなぜ暴挙に走ったか 徹底解説：ウクライナ戦争の深層』（文藝春秋）など、著書多数。

一気にわかる！池上彰の世界情勢2023

世界に広がるウクライナ戦争の影響編

第一刷 二〇二三年一月二十日

第二刷 二〇二三年二月十〇日

著 者 池上彰

発行人 小島明日奈

発行所 毎日新聞出版

〒一〇二－〇〇七四 東京都千代田区九段南一－六－十七 千代田会館五階

［営業本部］〇三－六二六五－六九四一

［図書第二編集部］〇三－六二六五－六七四六

印刷・製本 光邦

ISBN978-4-620-32764-8